MÉTHODE DE FRANÇAIS

initial 1

Sylvie POISSON-QUINTON

Marina SALA

CLE
INTERNATIONAL

AVANT-PROPOS

──── Le public ────

INITIAL 1 est une introduction au français. Cette méthode s'adresse à des adultes ou à de grands adolescents (étudiants, par exemple) **débutants complets**.

Elle est prévue pour 60 heures environ, soit en cours extensifs, soit en cours intensifs. Le cahier d'exercices qui accompagne ce premier niveau couvre une vingtaine d'heures supplémentaires de travail.

──── Les objectifs ────

INITIAL 1 est une méthode qui propose les éléments de base permettant à des élèves débutants complets de parvenir rapidement à une certaine autonomie en français.

Elle part de leurs besoins primordiaux (se présenter, demander et donner une information, proposer quelque chose, accepter ou refuser une invitation, etc.) et leur donne les outils nécessaires à une communication immédiate.

──── La démarche ────

Nous adressant à des apprenants totalement débutants, nous avons voulu aller à l'essentiel et avons opté pour une progression délibérément lente : moins d'une trentaine de mots nouveaux par leçon, des éléments de grammaire simples, une approche en spirale (chaque point grammatical est systématiquement repris à différentes étapes du manuel) et des consignes immédiatement lisibles.

À la fin de chaque unité, un bilan permet à l'apprenant de faire le point sur ce qu'il a acquis.

──── L'organisation du manuel ────

Le manuel se compose de vingt-quatre leçons regroupées en six unités. Chaque unité est centrée sur un objectif de communication :
◆ **Unité 1 :** se présenter, demander et donner des informations sur soi et sur les autres.
◆ **Unité 2 :** exprimer ses goûts, ses préférences.
◆ **Unité 3 :** demander une information sur un lieu, s'orienter dans l'espace.
◆ **Unité 4 :** parler de ses occupations et de son emploi du temps.
◆ **Unité 5 :** faire des projets, proposer quelque chose ; accepter, refuser.
◆ **Unité 6 :** parler d'un événement passé, situer un événement dans le temps.

Chaque leçon occupe deux doubles pages et son exploitation est prévue pour deux heures.

À la fin de chaque unité se trouve une double page **Bilan et Stratégies** constituée de deux parties :
◆ ***Maintenant, vous savez...*** qui reprend les points essentiels traités dans l'unité.
◆ ***Comment faire ?*** qui propose des conseils pour apprendre plus efficacement (*En classe*) et des stratégies communicatives à utiliser dans les relations avec les Français (*Avec les Français*).

À la fin du manuel se trouve un **Précis grammatical** accompagné d'exercices d'entraînement enregistrés.

SOMMAIRE

MODE D'EMPLOI

Chaque unité se compose de quatre leçons. Chaque leçon occupe deux doubles pages.

Présentation d'une double page type :

Présentation du dialogue.

Vocabulaire : les mots nouveaux.

Manières de dire : les expressions françaises.

Un exercice oral ou écrit portant sur le dialogue.

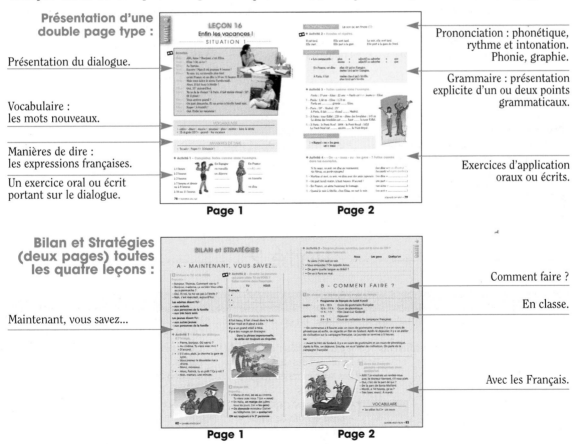

Prononciation : phonétique, rythme et intonation. Phonie, graphie.

Grammaire : présentation explicite d'un ou deux points grammaticaux.

Exercices d'application oraux ou écrits.

Page 1   Page 2

Bilan et Stratégies (deux pages) toutes les quatre leçons :

Maintenant, vous savez...

Comment faire ?

En classe.

Avec les Français.

Page 1   Page 2

TABLEAU des CONTENUS

Unité 1

Unité 2

Leçons	Communication	Grammaire	Vocabulaire	Prononciation
Leçon 6 (p. 34-37)	• Demander des informations sur quelque chose (4) • Dire ce qu'on aime et ce qu'on n'aime pas • Exprimer une préférence (1) • Remercier (2)	• Conjugaison (je, il/elle, vous) : *vouloir* (1) • *Aimer* + nom/infinitif. • Les articles indéfinis (2). • La négation : *ne (n')...pas*	• L'anniversaire • Les cadeaux : objets quotidiens (livres, vêtements...) • *Adorer, préférer* • Les nombres : jusqu'à 16	• Rythme et intonation • Le son [ʃ] • L'interrogation et l'exclamation
Leçon 7 (p. 38-41)	• Demander des informations sur le prix • Demander des objets précis (dans un magasin) • Exprimer son appréciation	• *Je voudrais* + nom (2) • *Ils/elles* : pluriel des verbes *être* et en *-er* • *Ça* (1) : 3ᵉ pers. du singulier • Pluriel des noms (2) • Adj. en *-eux, -euse(s)* • *C'est.../Ce n'est pas...* + nom ou adj.	• Les nombres : de 17 à 20, les dizaines jusqu'à 50, les centaines et mille • *Cher, bon marché, en solde* • *Combien ça coûte ?* • *Coûter*	• Le son [ã] (1)
Leçon 8 (p. 42-45)	• Demander une consommation (café, restaurant) • Exprimer une préférence (2) • Demander le prix de quelque chose	• Conjugaison (je, il/elle, vous, ils/elles) : *prendre* • *Ça* (2) : complément ou sujet • *Est-ce que.../Qu'est-ce que... ?* • *Il y a* (2) + nom singulier ou pluriel	• Nombres de 50 à 100 • *Ça fait...* • Consommations, boissons • *Détester*	• Rythme de la phrase (1) • Discrimination : *Est-ce que.../ Qu'est-ce que... ?*
Bilan et Stratégies (p. 46-47)	• Les articles : définis et indéfinis • La négation : *ne (n')...pas* • Le pluriel	• Demander des informations, des précisions en classe. • Avec les Français : - demander quelque chose, - accepter, refuser, remercier.		

Unité 3

Leçons	Communication	Grammaire	Vocabulaire	Prononciation
Leçon 9 (p. 48-51)	• Demander son chemin • Expliquer un itinéraire • S'informer sur les moyens de transport • Remercier (3)	• Conjugaison (je, il/elle, vous, ils/elles) : *aller* • *Je voudrais* + infinitif • Articles définis et indéfinis (3) • L'interrogation : intonation, inversion, *est-ce que... ?*	• *Une rue, une place un boulevard...* • *Tout droit, à droite, à gauche, loin, près...* • *Tourner, prendre...*	• Le son [u]
Leçon 10 (p. 52-55)	• Chercher un rayon dans un supermarché • Choisir, se mettre d'accord • Faire ses courses	• Conjugaison (nous, vous) : *aller, avoir, vouloir, prendre* • Le pluriel (3) : masculin ou féminin ? • Pluriel des noms en *-x* • *Avoir besoin de*	• Localisation : *au fond, devant, après* • Quelques noms de rayons • *Peser, payer*	• Rythme de la phrase (2)
Leçon 11 (p. 56-59)	• Décrire les pièces d'un appartement • Discuter de ses avantages et inconvénients • Parler de sa localisation	• *C'est* + adjectif • Nom/pronom + verbe + adj. • Accord des adjectifs (rappel) • *Combien de* + nom	• Les pièces de l'appartement, combien de m²... • *Un étage, un immeuble...* • Les ordinaux (1) : jusqu'à 5ᵉ	• L'intonation expressive : refuser quelque chose
Leçon 12 (p. 60-63)	• S'orienter dans un ou plusieurs bâtiments • Chercher une salle • Expliquer, indiquer où se trouve un lieu	• Conjugaison (je, il/elle, nous, vous, ils/elles) : *voir, venir, se trouver* • *C'est* + *ici/là* • Les démonstratifs : *ce, cette, ces*	• *Bâtiment, salle, couloir, porte...* • Les ordinaux (2) : jusqu'à 10ᵉ	• Le son [j]
Bilan et Stratégies (p. 64-65)	• Comparaison de la structure de la phrase déclarative et de la phrase interrogative • Article, nom, adjectif : le genre et le nombre	• En classe, utiliser un dictionnaire français • Avec les Français, savoir s'orienter sur un plan et demander son chemin		

Unité 4

Leçons	Communication	Grammaire	Vocabulaire	Prononciation
Leçon 13 (p. 66-69)	• Situer dans le temps (1) • Tutoyer (1) • Parler de son emploi du temps • Exprimer une appréciation (1)	• 2ᵉ personne : *tu ≠ vous* (1) • Conjugaison (tu) : *être*, verbes du 1ᵉʳ groupe, *venir* • Conjugaison : *dormir* • Conjugaison du 2ᵉ groupe : *finir* • Les pronominaux : *se lever* et *s'appeler* • La cause : *Pourquoi ?* – *Parce que*	• Les jours de la semaine • L'heure (1) • *Être prêt, en retard...* • *Avoir de la chance*	• Discrimination : « tu » et « vous » à l'oral
Leçon 14 (p. 70-73)	• Parler de son emploi du temps (2) • Choisir « tu » ou « vous » • Dire l'heure	• Conjugaison : *faire* et *sortir* • Conjugaison (tu) : *prendre* • *tu ≠ vous* (2) • *On = nous* • Les articles contractés : *au, aux, du, des*	• Les différents moments de la journée : *le matin, le soir...* • L'heure (2) (familière)	• Les liaisons avec le mot « heure »
Leçon 15 (p. 74-77)	• Se situer dans le temps (2) • Parler de son travail • Parler du temps qu'il fait (1)	• Conjugaison : les impersonnels « météo » • *On = les gens* (1), *on = nous* (2) • *C'est* + adj. (rappel). • *Avoir quelque chose à* + inf.	• Les saisons (1), le temps qu'il fait • Les travaux des champs	• Le son : [ɑ̃] (2) ; opposition avec [a]
Leçon 16 (p. 78-81)	• Parler de son emploi du temps (3) • Parler du temps qu'il fait (2) • Comparer différents modes de vie	• *On = les gens* (2), *on = nous* (3) • Les comparatifs : *plus/moins* + adj./adv. + *que* • Les noms de pays : genre, emploi des prépositions	• La météorologie • Les noms de pays	• Le son [ʀ] en finale
Bilan et Stratégies. (p. 82-83)	• Tutoiement et vouvoiement • Les verbes impersonnels • *On*	• En classe, se repérer dans un emploi du temps • Avec les Français, prendre rendez-vous avec quelqu'un		

Unité 5

Leçons	Communication	Grammaire	Vocabulaire	Prononciation
Leçon 17 (p. 84-87)	• Proposer quelque chose à quelqu'un (1) • Exprimer son opinion • Accepter (1) • Demander l'heure	• Conjugaison : *vouloir* • L'impératif : verbes du 1ᵉʳ groupe et *attendre* • Adj. interrogatif : *quel, quelle ?* • Rappel : *on = nous* • Locutions avec « avoir » : *avoir envie de, peur de*	• Sortir au cinéma : *le film, la séance, passer...* • L'heure (3) : système officiel	• L'intonation pour proposer : interrogation, impératif
Leçon 18 (p. 88-91)	• Proposer quelque chose à quelqu'un (2) • Refuser (1), se justifier, s'excuser (1) • Suggérer quelque chose	• Conjugaison : *pouvoir* • Les adjectifs possessifs (1) : les personnes du singulier • *Chez* (1) + nom	• Le regret : *c'est dommage, je suis désolé, excusez-moi, être fâché...* • La famille (2) • Le visage : *les yeux...*	• Le son [ø] ; opposition [e] et [ø] • Opposition [œ] et [ø]
Leçon 19 (p. 92-95)	• Proposer quelque chose (3) • Refuser (2)/accepter (2) • Discuter (1) ; se mettre d'accord	• Conjugaison : *connaître* et *savoir* • Les adjectifs possessifs (2) : les personnes du pluriel • *Chez* (2) + pronoms toniques • *Il faut* + infinitif	• Les loisirs	• Liaisons diverses

LEÇON 0

◆ **Activité 1**

A. Écoutez. Cochez si c'est en français.

1. ☐   3. ☐   5. ☐   7. ☐

2. ☐   4. ☐   6. ☐   8. ☐

B. Il y a quatre (4) extraits en français.
    À quelle photo correspond chaque extrait ?

photo 1 = document ....

photo 2 = document ....

photo 3 = document ....

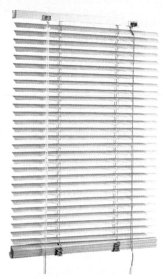

photo 4 = document ....

◆ Activité 2 - Cochez les mots que vous comprenez.

- ☐ • l'amour
- ☐ • le rêve
- ☐ • le restaurant
- ☐ • le vin
- ☐ • les cigarettes
- ☐ • la crise

- ☐ • la musique
- ☐ • le cinéma
- ☐ • le bistrot
- ☐ • les nouvelles
- ☐ • le journal
- ☐ • l'hôpital

- ☐ • la politique
- ☐ • la gare
- ☐ • le café
- ☐ • le passeport
- ☐ • la radio
- ☐ • le sport

◆ Activité 3 - Deux (2) textes sont en français. Lesquels ?

....

....

2

EXTRÍSIMOS, SÓLO DOS.

EL MUNDO DEL CAVA SE PREGUNTA POR QUÉ UN PRODUCTO DEL PAÍS TAN DIGNO Y TAN PLACENTERO NO ENCUENTRA MÁS EXCUSAS QUE LAS GRANDES CELEBRACIONES Y ALGUNAS FIESTAS DE GUARDAR, PARA SER DISFRUTADO. ¿NO AMAMOS LA FIESTA? ¿A QUÉ ESPERAMOS? BACH SABE QUE EN LA ESPERA TAMBIÉN HAY MÉRITO. POR ESO ELABORA SUS CAVAS SIN PRISA. CON LA MISMA PASIÓN CON QUE ELABORA US APRECIADOS VINOS EXTRÍ... ...MBRE: EXTRÍSIMO BRUT ...RÍSIMO SUAVE SEMI SECO, D... ...PCIONALES: LA CARA BURB... ...DE UNAS BODEGAS MUY SERIAS.

1

...nskötsel är traditionellt den ...tigaste inkomstkällan för ...merna, Lapplands urbe- ...lkning. Till de färgstarkaste... ...pplevelserna i Lappland hör ...östarnas renskiljning och ...lakt. Samerna driver ner re- ...narna från betesmarkerna till ...rengården nära de stora vägar- ...na. Förr förvarades mat och ...färskvaror i visthus högt över ...marken (lilla bilden), i dag ut- ...nyttjas den moderna kyl- och ...transporttekniken också nå... ...det gäller renhanteringen.

4

le lupin

Les lupins « s'élèvent en colo- nettes minces... », comme l'écrivait Émile Zola, dans la Faute de l'abbé Mouret. Cette plante annuelle, aux fleurs de couleurs multiples disposées en grappes, peut être employée, en dépit de ses qua- lités décoratives, comme fourrage. Elle pousse de préférence dans des endroits ensoleillés ; les sols acides ou neutres lui conviennent mieux que les sols calcaires, où elle dépérit.

3

METEO

| SOLE | NUVOLOSO | COPERTO | PIOGGIA | ROVESCI | TEMPORALI | NEVE | NEBBIA |

OGGI

La perturbazione atlantica sull'Italia, oggi insisterà solo al Sud. Poi l'alta pressione sulla Spagna si propagherà a tutta l'Italia favorendo, almeno fino a mercoledì, il bel tempo ovunque ma anche le nebbie. Il tempo oggi: nubi su Alpi, Lombardia, Abruzzo, al Sud, Isole, piogge su Calabria, est Si- cilia, qualche nevicata su Lucania oltre 1000 m, nebbie al mattino al Nord in dissolvimento.Tem- peratura: massime in rialzo al Centronord. Venti: moderati al Sud Mari: mossi al Centrosud

6

▶ Benoît, 11 ans

"Je rêve que je suis le héros"

Je lis beaucoup chez mon père et je joue aux jeux vidéo chez ma mère. Je lis dans la voitu- re, je lis partout où je ne peux pas faire autre chose qui m'inté- resse. J'adore l'aventure. Je rêve que je suis le héros. Ma mère m'a fait découvrir le plus gros livre que ...xpo'98, a APPF celebrou um protocolo com o Ministério da Educação tendo em vista j'aie jamais lu : Le Seigneur des anneaux, de Tolkien.

5

ПРЕДИСЛО...

■ Предлагаемый учебник предназначен для шк... ...же имеющих некоторую языковую подготовку. ...ранцузский язык нередко относят к трудным в изу... ...делать этот процесс доступным и интересным. ...ложение грамматических правил сконцентрировано на... ...изации. Их разработка и изложение основаны на письменной и разговорной ре... ...ждая грамматическая тема раскрыта в разговорной форме и не сводится к обыч... ...классификации грамматических понятий и терминов. Пояснения подчинены ...ловой стороне, в их разработке использовался опыт практической ...

...учебника ...лавном, без излишней де...

7

JORNADAS PEDAGÓGICAS

...ação sobre Pedagogia dos Intercâmbios.

...e-ao portanto,de 15 de Setembro a 31 de Outubro, à sexta-feira, Jornadas Pedagógicas em ...ranco, Coimbra, Guarda e Lisboa, em escolas e datas a designar brevemente. ...s aos colegas interessados que contactem a APPF, a partir de 8 de Setembro, para procura ...informações.

8

Bemærk, at ansøgningsskemaet skal være Internationalt Sekretariat i hænde allersenest en måned før den studerende får brug for en bolig i Århus. Vi råder til, at den studerende påbegynder ansøgningsprocessen i god tid, og normalt mindst 6 måneder før den forventede studiestart.

Ansøgningsskemaets side 1-3 udfyldes på engelsk med blokbogstaver eller maskinskrift. Side 4 udfyldes normalt på dansk.

◆ **Activité 4 – Parmi ces huit (8) pays, quatre (4) ont une frontière commune avec la France. Lesquels ? Cochez les bonnes réponses.**

1 - la Belgique ☐   **3** - l'Italie ☐   **5** - l'Espagne ☐   **7** - la Suisse ☐

2 - la Pologne ☐   **4** - le Portugal ☐   **6** - la Hongrie ☐   **8** - la Finlande ☐

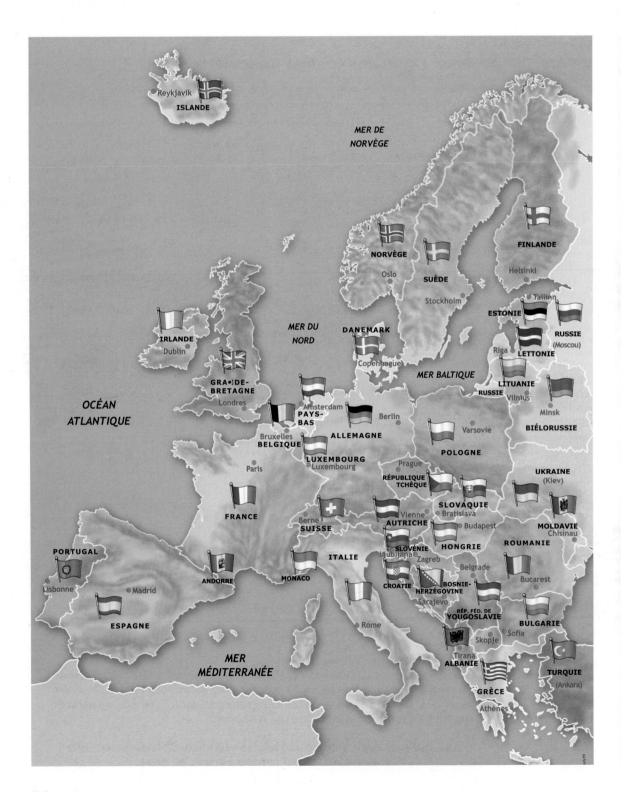

◆ **Activité 5 – Citez trois (3) pays dans le monde où on parle français.**

1 - ....

2 - ....

3 - ....

Principales consignes – Comprenez. Traduisez.

Écoutez. . . . .   Répétez. . . . .

Lisez.   Complétez. . . . .

Regardez. . . . .   Écrivez. . . . .

Répondez. . . . .   Reliez. . . . .

Faites comme dans l'exemple.   Cochez la bonne réponse.
. . . .

Jeu de rôles. . . . .   Comparez. . . . .

LEÇON 1
Bonjour, je m'appelle Anna
SITUATION 1

Écoutez.

1. Victor : Agathe ! Bonjour !
    Agathe : Bonjour, Victor. Ça va ?
    Victor : Très bien, merci. Et vous ?
    Agathe : Ça va.

2. Marc : Allô, c'est Marc.
    Isabelle : Ah, Marc ! Bonjour. Ça va ?
    Marc : Oui, merci.

3. Anna : Bonjour, je m'appelle Anna.
    Et vous ?
    Isabelle : Moi, je m'appelle Isabelle.

1

2

3

VOCABULAIRE

Bonjour • Allô
très bien • merci • oui

je / j' • moi • vous • et
s'appeler

Victor
Marc

Agathe
Anna
Isabelle

◆ **Activité 1 – Écoutez.**

– Bonjour, je m'appelle Marie. Et vous ?
– Moi, je m'appelle Maxime. Maxime Dumont.

À vous !

MANIÈRES DE DIRE

– Ça va ?
– Oui, merci. Et vous ?
– Ça va.

– Ça va ? – Ça va.

– Natacha… C'est Victor.

C'est + nom

Victor, Natacha.

◆ **Activité 2 – Jeu de rôles.**

Présentez-vous par deux ou trois comme dans l'exemple.

Écoutez.

Fatima : Bonjour. Je m'appelle Fatima.
Et vous ?
Rémi : Je m'appelle Rémi. Je suis français.
Et vous ?
Fatima : Je suis portugaise. J'habite à Paris.
Et vous ?
Rémi : Moi, j'habite à Toulouse.

VOCABULAIRE

- français, française • portugais, portugaise • être • habiter à
- à (être / habiter... à Paris, Tokyo, Toulouse)

PRONONCIATION   L'intonation interrogative (?)

◆ Activité 3 – Écoutez et répétez.

1	– Ça va ?	– Ça va.
2	– Ça va bien ?	– Oui, merci.
3	– C'est Isabelle ?	– Non, c'est Agathe.
4	– J'habite à Toulouse. Et vous ?	– Moi, j'habite à Paris.

GRAMMAIRE

1 ▪ Conjugaison

Verbes :	ÊTRE	HABITER	S'APPELER
	je suis	j'habite	je m'appelle

Attention ! je → j' (+ a, e, i, o, u, y, h) : *j'habite*

2 ▪ Masculin et féminin

 français

portugais

 française

portugaise

◆ **Activité 4 – Regardez, écoutez et faites comme dans l'exemple.**

document n°

Je m'appelle Sophie Marceau, j'habite à Paris. ⟶ *3*

a - Je m'appelle Leonardo di Caprio, j'habite à Los Angeles. ⟶ . . . .

b - Je m'appelle Gong Li, j'habite à Pékin. ⟶ . . . .

c - Je m'appelle Mick Jagger, j'habite à Londres. ⟶ . . . .

d - Je m'appelle Ronaldo, j'habite à Rio. ⟶ . . . .

n° 1 : c'est ....

n° 2 : c'est ....

n° 3 :
c'est *Sophie Marceau.*

n° 4 : c'est ....

n° 5 : c'est ....

VOCABULAIRE

n° = numéro

un (1) • deux (2) • trois (3) • quatre (4) • cinq (5)

QUINZE - **15**

LEÇON 2
Bonjour, vous parlez français ?
SITUATION 1

 Écoutez.

Luc : Bonjour, mademoiselle. Vous habitez à Paris ?
Lisa : Oui.
Luc : Vous êtes étudiante ?
Lisa : Oui.
Luc : Vous êtes américaine ?
Lisa : Non.
Luc : Vous êtes anglaise ?
Lisa : Non.
Luc : Vous parlez anglais ?
Lisa : Non.
Luc : Vous parlez italien ?
Lisa : Non.
Luc : Vous parlez français ?
Lisa : Oui, je parle français !
Luc : Ah ! Vous êtes française !
Lisa : Eh oui !

 ◆ **Activité 1 - Écoutez et répétez.**

• Lisa, vous êtes française ? – Oui.
– Vous parlez français ? – Oui !

• Mario, vous êtes français ? – Non.
– Vous parlez français ! – Oui, oui, je parle français.

VOCABULAIRE

• mademoiselle • étudiant, étudiante • américain, américaine • anglais, anglaise
• italien, italienne • parler • non

MANIÈRES DE DIRE

Eh oui !

◆ **Activité 2 – Jeu de rôles.**

Au jardin du Luxembourg

Bonjour, mademoiselle.

Vous vous appelez… ?

Vous êtes étudiante ?

Vous êtes anglaise, mademoiselle ?

Vous êtes américaine ?

Vous êtes française ?

Vous parlez anglais ? français ? japonais ?

Vous habitez à… ?

GRAMMAIRE

1 ▪ Conjugaison

ÊTRE	S'APPELER	HABITER	PARLER
je **suis**	je **m'** appelle	j' habite	je parle
vous **êtes**	vous **vous** appelez	vous habitez	vous parlez

– Vous vous appelez Maria ? – Non, je m'appelle Lisa.
– Vous habitez à Paris ou à Marseille ? – J'habite à Paris.

2 ▪ Masculin/féminin (1)

français / française   américain / américaine
portugais / portugaise   italien / italienne

– Vous êtes française, Isabelle ? | – Gina, vous êtes américaine ?
– Non, je suis portugaise. | – Non, je suis italienne.
– Et vous, Rémi, vous êtes portugais ? | – Et vous, Nino, vous êtes italien ?
– Non, je suis français. | – Non, non, je suis américain.

◆ **Activité 3 – Écoutez et répondez comme dans les exemples.**

    – *Vous parlez français ?*   – *Oui, je parle français.*
    – *Vous êtes français ?*   – *Oui, je suis français.*
    – *Vous habitez à Paris ?*   – *Oui, j'habite à Paris.*

1 - Noriko, vous êtes japonaise ? . . . .
2 - Vous parlez anglais ? . . . .
3 - Vous habitez à Tokyo ? . . . .
4 - Mario, vous êtes portugais ? . . . .
5 - Vous parlez portugais ? . . . .

Écoutez et lisez.

1 • Bonjour. Je m'appelle Yukiko. Je suis japonaise. J'habite à Paris.
Je suis étudiante. Je parle japonais, chinois, anglais et français.

2 • Bonjour. Je suis portugais. Moi aussi, je suis étudiant. Je m'appelle Mario.
J'habite à Lisbonne. Je parle portugais, espagnol et français.

3 • Bonjour. Je m'appelle Lucie. J'habite à Paris. Je parle anglais et français.
Je suis professeur. Je suis française.

VOCABULAIRE

• aussi • japonais, japonaise • espagnol, espagnole • chinois, chinoise • professeur

MANIÈRES DE DIRE

– Je suis étudiant. Vous aussi, Yukiko ? – Oui, moi aussi, je suis étudiante.

◆ **Activité 4 – Regardez. Cochez la bonne réponse.**

Je suis ....

A. Yukiko ☐   B. Yukiko ☐   C. Yukiko ☐

Mario ☐   Mario ☐   Mario ☐

Lucie ☐   Lucie ☐   Lucie ☐

◆ **Activité 5 – Oui ou non ? Cochez la bonne réponse.**

	Oui	Non
1 - Mario, vous habitez à Paris ?	☐	☐
2 - Yukiko, vous êtes japonaise ?	☐	☐
3 - Vous parlez italien, Lucie ?	☐	☐
4 - Mario, vous parlez portugais ?	☐	☐
5 - Lucie, vous habitez à Paris ?	☐	☐
6 - Vous habitez à Tokyo, Yukiko ?	☐	☐

◆ **Activité 6 – À vous.**
   Présentez-vous deux par deux.

GRAMMAIRE

3 ■ Masculin/féminin (2)

Cathy, vous êtes américaine ?　　　　　　Jim, vous êtes américain ?

Règle générale : féminin = masculin + -e

je suis français, je suis française / je suis japonais, je suis japonaise
je suis américain, je suis américaine / je suis chinois, je suis chinoise
je suis espagnol, je suis espagnole

mais ATTENTION !

• Masculin en -e, féminin en -e :　　　il est russe, elle est russe

• Masculin en -ien, féminin en -ienne :　　je suis italien, je suis italienne
　　　　　　　　　　　　　　　　　　je suis brésilien, je suis brésilienne

◆ **Activité 7 – Masculin (M) ou féminin (F) ?**
   Lisez et cochez la bonne réponse comme dans l'exemple.

Vous êtes italienne ? = *F*　　　*Je suis espagnol.* = *M*

1 - Vous êtes anglais ?　=　　　**3** - Je suis français.　=　　　**5** - Je suis japonais.　=

2 - Vous êtes française ? =　　　**4** - Je suis chinoise.　=　　　**6** - Vous êtes américain ? =

◆ **Activité 8 – Reliez comme dans l'exemple.**

Je suis　　　　　　　　　*franç* ⟶ *ien*
　　　　　　　　　　　　brésil ⟶ *ais*

1 - Je suis　　　indonés　　ain
2 - Je suis　　　espagn　　ois
3 - Je suis　　　chin　　　ais
4 - Je suis　　　améric　　ol
5 - Je suis　　　angl　　　ien

LEÇON 3
Vous vous appelez comment ?
SITUATION 1

Écoutez.

Il est jeune, grand, brun…
Il aime la danse, la musique.
Il habite à Paris.

Elle est jeune, elle est jolie, grande, brune.
Elle aime le sport, le cinéma…
Elle habite à Rome.

Il s'appelle comment ?

Pierre !

Elle s'appelle comment ?

Gina !

Isabelle et Gina

Pierre et Hugo

VOCABULAIRE

- jeune, jeune
- grand, grande
- brun, brune
- joli, jolie

- aimer
- la danse • la musique • le sport • le cinéma
- il • elle
- comment ?

PRONONCIATION

◆ **Activité 1 – Écoutez et répétez.**

Pierre est jeune, grand, brun ! / Lucie est jeune, grande, brune !

- Pierre est jeune / Lucie est jeune   à l'oral : masculin = féminin

- Pierre est grand ! / Lucie est grande !
  Pierre est brun ! / Lucie est brune !

à l'oral : masculin → voyelle [ã], féminin → voyelle [ã] + consonne *d*
masculin → voyelle [œ̃], féminin → voyelle [y] + consonne *n*

◆ **Activité 2 – Masculin ou féminin ?**
Écoutez et faites comme dans l'exemple.

	M	F		M	F
Exemple		✗			
1 -			4 -		
2 -			5 -		
3 -			6 -		

MANIÈRES DE DIRE

– Elle s'appelle comment ? – Elle s'appelle Gina.
– Il s'appelle comment ? – Il s'appelle Pierre.
– Vous vous appelez comment ? – Je m'appelle...

GRAMMAIRE

1 ▪ Conjugaison

ÊTRE		AIMER		HABITER		S'APPELER		
je	suis	j'	aime	j'	habite	je	m'	appelle
il	est	il	aime	il	habite	il	s'	appelle
elle	est	elle	aime	elle	habite	elle	s'	appelle
vous	êtes	vous	aimez	vous	habitez	vous	vous	appelez

◆ **Activité 3 – Complétez comme dans l'exemple avec *être*, *aimer*, *habiter*, *s'appeler*.**

C'est Anna. Elle .... à Toulouse. → C'est Anna. Elle habite à Toulouse.

1 - Je .... Hugo. J'............ le sport et le cinéma.
2 - Il .... Nino. Il .... à New York ; il .... américain.
3 - Vous .... française ? Vous .... la musique ? Vous .... comment ?

GRAMMAIRE

2 ▪ Masculin et féminin

a • **Pronoms**   Pierre   Gina
                       il   elle

b • **Adjectifs** : Il est jeune, grand et brun. Elle est jeune, jolie, grande et brune.

Rappel : à l'écrit en général, féminin = masculin + -*e*

Écoutez.

La journaliste :	Bonjour. Vous vous appelez comment ?
Anna :	Je m'appelle Anna, Anna Foglietta.
La journaliste :	Vous êtes italienne ?
Anna :	Oui, et j'habite à Rome.
La journaliste :	Vous parlez italien, français et… ?
Anna :	Je parle aussi espagnol et anglais.
La journaliste :	Vous êtes blonde, petite et mince, jolie… Vous aimez la danse ?
Anna :	Oh, oui ! mais j'aime aussi la musique et le théâtre !
La journaliste :	La musique moderne ou la musique classique ?
Anna :	J'aime bien la musique classique… et aussi la musique moderne.
La journaliste :	Vous aimez la musique américaine ?
Anna :	Oui, surtout le jazz !

VOCABULAIRE

- le jazz • le théâtre • blond, blonde • petit, petite • mince, mince
- la journaliste, le journaliste • classique, classique • moderne, moderne • surtout
- mais • ou

MANIÈRES DE DIRE

- j'aime bien

GRAMMAIRE

3 ▪ **Masculin et féminin**

a • noms	masculin	féminin
	le jazz, le théâtre	la danse, la musique…
	le sport, le cinéma…	

b • nom masculin → adjectif masculin   nom féminin → adjectif féminin

le journaliste blond   la journaliste blonde
j'aime le cinéma américain   j'aime la musique espagnole

4 ▪ **La phrase**

1	2	3
Il	est	jeune, grand, blond.
Il	aime	la danse, la musique.
Elle	habite	à Rome.
Il	s'appelle	Pierre !
sujet +	verbe +	…

◆ **Activité 4 – Complétez avec un nom.**

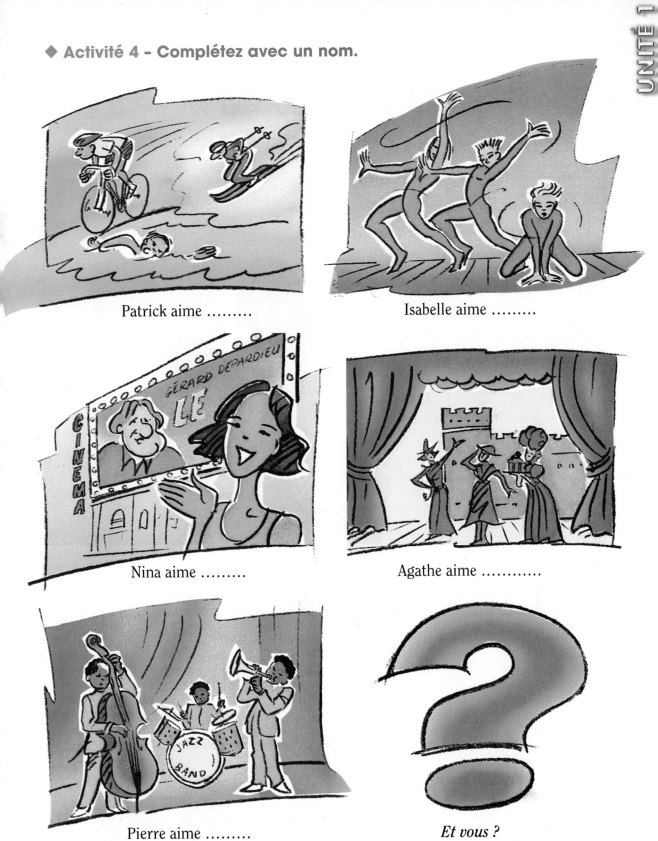

Patrick aime ………

Isabelle aime ………

Nina aime ………

Agathe aime …………

Pierre aime ………

Et vous ?

◆ **Activité 5 – Jeu de rôles. Faites comme dans l'exemple.**

Élève 1 : *J'aime la musique **classique**. Et vous* (nom de l'élève 2) *?*
Élève 2 : ***Moi**, j'aime la musique **moderne**, mais j'aime **aussi** le sport.*

LEÇON 4
C'est Juliette, elle est belle !
SITUATION 1

Écoutez.

Ève : Oh ! Elle est belle ! Qui est-ce ?
Léa : C'est Juliette Binoche. Elle est actrice.
Ève : Elle est française ?
Léa : Oui.
Ève : Elle est célèbre ?
Léa : Oh oui, elle est très célèbre.
Ève : Et lui ? Qui est-ce ?
Léa : Lui ?
       C'est Gérard Depardieu.
Ève : Il est footballeur ? Cuisinier ?
Léa : Non, il aime la cuisine
       mais il est acteur.
Ève : Il est célèbre ?
Léa : Oui, très célèbre !

VOCABULAIRE

• beau, belle • acteur, actrice • cuisinier • la cuisine • footballeur • célèbre
• lui • très

MANIÈRES DE DIRE

• Qui est-ce ?
C'est Juliette Binoche. Elle est actrice.
Elle est très belle ! Elle est célèbre.

• Qui est-ce ?
C'est Gérard Depardieu. Il est acteur. Il est français.

◆ **Activité 1 – Lisez.**

Elle est actrice de cinéma et chanteuse.
Elle est américaine.   C'est Madonna.

◆ **Activité 2 – Qui est-ce ?**
Choisissez dans la liste comme dans l'exemple.

Il est footballeur. Il est brésilien. C'est Ronaldo.

1 - Elle est écrivain. Elle est française. C'est . . . .
2 - Il est cinéaste. Il est américain. C'est . . . .
3 - Il est couturier. Il est japonais. C'est . . . .
4 - Elle est chanteuse. Elle est française. C'est . . . .

Brigitte Bardot
Zinedine Zidane
Marco Ferreri
Patricia Kaas
Françoise Sagan
Ronaldo
Steven Spielberg
Jean-Paul Sartre
Kenzo

VOCABULAIRE

• cinéaste • chanteur, chanteuse • écrivain • couturier

PRONONCIATION L'intonation exclamative (!)

◆ **Activité 3 – Écoutez et répétez.**

• Elle est belle !   • Il est beau !
• Vous êtes jeune !   • Il est jeune !
• Il est grand !   • Elle est grande !

◆ **Activité 4 – Écoutez et cochez**
la bonne réponse comme dans l'exemple.

	Déclaratif	Interrogatif	Exclamatif
Ex.	✗		
1			
2			
3			
4			

GRAMMAIRE

1 ▪ **Masculin/féminin**   Il est beau - Elle est belle

2 ▪ **C'est Catherine Deneuve** / **Elle est actrice, elle est française.**
   (c'est + nom propre)   *(il/elle + profession ou nationalité)*

C'est Kenzo.   Il est couturier. Il est japonais.
C'est Patricia Kaas.   Elle est chanteuse. Elle est française.

◆ **Activité 5 – Complétez comme dans l'exemple.**

C'est Madonna.   *Elle est actrice de cinéma et chanteuse.*

1 - C'est Sophie Marceau.   Elle est . . . .
2 - Il est footballeur, il est brésilien.   C'est . . . .
3 - C'est Issey Miyake.   Il est . . . .
4 - C'est Gérard Depardieu.   Il est . . . .

Écoutez.

Anne : Bonjour, madame,
je m'appelle Anne Baraud.

La secrétaire : Anne comment ?

Anne : Baraud.

La secrétaire : Pardon ? Vous épelez, s'il vous plaît ?

Anne : Baraud, B, A, R, A, U, D. Avec un D.

La secrétaire : Merci. Et vous, monsieur ?

Julien : Julien Bonnot.

La secrétaire : N, E, A, U ?

Julien : Non, B, O, deux N, O, T.

La secrétaire : Et vous ?

Bernard : Moi ? Bernard.

La secrétaire : Oui, mais Bernard comment ?

Bernard : Bernard Bernard.

La secrétaire : Bernard Bernard ? Étrange !

FICHE D'ÉTAT CIVIL

NOM : BARAUD
PRÉNOM : ANNE
NÉ(E) LE : 28 10 78
À : 11

 ◆ **Activité 6 – Écoutez et lisez.**

• Elle s'appelle Baraud, B, A, R, A, U, D.   • Il s'appelle Bonnot, B, O, deux N, O, T.

VOCABULAIRE

• monsieur • madame • avec • étrange • épeler • nom • prénom • s'il vous plaît

MANIÈRES DE DIRE

• **Vous vous appelez comment** ? Anne Baraud.
Comment vous vous appelez ? Anne Baraud.
Bernard **comment** ? Bernard Bernard.

• Anne, A, deux N, E.
Bonnot, B, O, deux N, O, T.

PRONONCIATION   L'alphabet

 ◆ **Activité 7 – Écoutez et répétez.**

A - B - C - D - E - F - G - H - I - J - K - L - M - N - O - P - Q - R - S - T - U - V - W - X - Y - Z

◆ **Activité 8 – Et vous ? Comment vous appelez-vous ?**
   Épelez votre nom et votre prénom.

◆ **Activité 9 – Lisez et répétez.**

Béa   Dédé   Ella   Emma   Gigi   Hélène   Hervé   Théo

◆ **Activité 10 - Trouvez la phrase.**
   Écrivez comme dans l'exemple.

   J.J.M.T.O.   = *Gigi aime Théo.*

1 - B.A.M.R.V.   = ...
2 - M.A.M.D.D.   = ...
3 - T.O.M.L.N.   = ...

◆ **Activité 11 – Écoutez et répétez.**

Voyage : • Ah ! Amsterdam avec KLM !
            • Stockholm avec SAS ! • Ou Nice avec AOM !

KLM — Amsterdam

SAS — Stockholm

AOM — Carnaval de Nice

◆ **Activité 12 – Écoutez et répétez.**

Allô, allô, A B C D, c'est Amédée ?
E F G. Non, c'est Roger.
Oh, pardon, excusez-moi.

Allô, allô, H I J. C'est vous, Gigi ?
K L M N. Non, c'est Hélène.
Oh, pardon, excusez-moi.

Allô, allô, O P Q R. Bonjour, Hubert !
S T U V. Non, c'est Hervé.
Oh, pardon, excusez-moi.

X Y Z. Et zut, zut, zut !

VOCABULAIRE

• le voyage • zut !

MANIÈRES DE DIRE

• Oh, pardon,
  excusez-moi !

BILAN et STRATÉGIES

A - MAINTENANT VOUS SAVEZ...

1 Faire une phrase

Agathe	aime	le jazz.
Je	m'appelle	Jean Dupont.
Elle	est	cinéaste.
Pierre	habite	à Paris

Sujet + verbe + ...

◆ **Activité 1- Faites comme dans l'exemple.**

> anglaise - vous - ? - êtes
> → *Vous êtes anglaise ?*

1 • à Paris - Anna - habite.

....

2 • japonais - ? - parlez - vous

....

3 • la danse - et - aime - Nino - la musique.

....

4 • suis - étudiant - je.

....

5 • le sport - aime - elle.

....

6 • est - il - américain.

....

7 • à - Moscou - habitez - vous.

....

2 Différencier le genre des mots

le sport - **le** cinéma

la danse - **la** musique

Le nom est **masculin : (le)** ou **féminin : (la)**

3 Accorder l'adjectif

le théâtre **chinois**	**la** musique **française**
le cinéma **américain**	**la** danse **américaine**

nom masculin → adjectif masculin
nom féminin → adjectif féminin

◆ **Activité 2 - Reliez comme dans l'exemple (plusieurs possibilités).**

1) le football   a) moderne
2) la danse   b) japonais
3) le théâtre   c) italienne
4) la musique   d) américain
5) le cinéma   e) classique
6) la cuisine   f) française

B - COMMENT FAIRE ?

◆ **Activité 3**

a • Regardez.

Isabelle MALET
pianiste

3, rue de la Poste - 31000 TOULOUSE

b • Complétez.

Nom : ....

Prénom : ....

Adresse : ....

Profession : ....

c • Présentez Isabelle. Elle s'appelle ....

📼 ◆ **Activité 4 – Écoutez et répondez.**

Isabelle aime :
• la musique classique ?
• la musique moderne ?
• le jazz ?

Elle est :
• actrice ?
• pianiste ?
• journaliste ?

Il s'appelle :
• Robert Dupont ?
• Jean Dupont ?
• Jean Durand ?

Il aime :
• la musique ?
• la danse ?
• le sport ?

VOCABULAIRE

• pianiste
• musicien, musicienne

◆ **Activité 5 – Jeux de rôles.**

a • Vous êtes Isabelle ou Robert : présentez-vous !

b • Faites comme dans l'exemple. (à faire deux par deux)

Vous vous appelez comment ?

Et lui, qui est-ce ?

Je m'appelle ... ...

C'est ... ...

LEÇON 5
Elle a sept enfants
— SITUATION 1 —

 Écoutez.

Lisa : Regardez. Il y a une lettre de Julia !
Une lettre et des photos.

Anne : Julia ? Qui est-ce ?

Lisa : La cousine Julia !

Paul : Ah, Julia Cler. Elle est professeur, non ?

Lisa : Oui, professeur de musique.

Anne : Et elle a des enfants ?

Lisa : Oui, beaucoup. Elle a... un, deux, trois,
quatre, cinq..., cinq garçons : Alex,
Bernard, Christophe, David et Éric.

Anne : Cinq garçons !

Lisa : Oui, cinq. Douze ans, dix ans, huit ans, six ans, quatre ans.
Elle a aussi une fille, Fanny. Elle a deux ans. Et un bébé !

Anne : Oh là là !

VOCABULAIRE

- il y a • de • la cousine • une lettre • des enfants • un garçon • une fille
- avoir • un bébé • beaucoup • une photo • un an
- six (6) • sept (7) • huit (8) • neuf (9) • dix (10) • onze (11) • douze (12)

MANIÈRES DE DIRE

- Regardez, il y a une lettre de Julia et il y a des photos.
- Oh là là !

PRONONCIATION   La liaison en (z)

 ◆ **Activité 1 - Écoutez et répétez.**

- Julia a des enfants ? – Oui, sept !
- Alex a douze ans, Bruno a dix ans, David a six ans.
Fanny a deux ans.

◆ **Activité 2 – Présentez la famille Cler comme dans l'exemple.**

C'est Antoine Cler.
Il est grand, il est blond.
Il a sept enfants.
Il aime la musique et les enfants.

La famille Cler

GRAMMAIRE

1 ▪ Les articles indéfinis : un, une, des
   Regardez :

   Il y a **une** lettre et **des** photos.

   Elle a **un** bébé. **Une** fille ou **un** garçon ?

   Et vous, vous avez **des** enfants ?

2 ▪ Le pluriel (1)   Elle a cinq garçons et deux filles.
   Généralement, pour le pluriel, on ajoute *-s* :

   un garçon, des garçons
   une fille, des filles
   un bébé, des bébés

   Attention :
   un Français, des Français

un bébé   des bébés

3 ▪ Construction : nom + de + nom
   • Il y a une lettre **de** Julia.
   • C'est la photo **de** la cousine Julia.
   • C'est la fille **de** monsieur et madame Cler.

◆ **Activité 3 – Un, une ou des ? Complétez comme dans l'exemple.**

Regardez, il y a une lettre et des photos.

1 - Il y a ..... bébé sur la photo.
2 - Vous avez ..... enfants ?
3 - Vous avez ..... filles ou ..... garçons ?
4 - J'ai ..... fille, elle a deux ans.
5 - J' ai ..... cousine, elle habite à Toulouse
    et elle a ..... enfants.

Écoutez.

Agathe : Bonjour, je cherche un sac, s'il vous plaît.
La dame : Oui...
Agathe : Un sac rouge.
La dame : Oui. Vous vous appelez comment ?
Agathe : Agathe Martinot.
La dame : Vous avez une carte d'identité ?
Agathe : Oui.
La dame : Merci. Et dans le sac, qu'est-ce qu'il y a ?
Agathe : Il y a un portefeuille, une carte bleue, des tickets de métro...
La dame : Oui...
Agathe : Il y a aussi des clés, des lettres, des photos, un stylo, des cigarettes...
La dame : D'accord, d'accord... Une minute, s'il vous plaît. Je cherche.

VOCABULAIRE

• une dame • chercher • un sac • rouge • dans • un portefeuille • une carte d'identité
• bleu, -e • un ticket de métro • une clé • un stylo • une cigarette • une minute

MANIÈRES DE DIRE

• D'accord.
• Une minute, s'il vous plaît.

◆ **Activité 4**
Cochez les bonnes réponses.

Dans le sac d'Agathe, il y a .....

un portefeuille ☐   un mouchoir ☐   une carte bleue ☐
un briquet ☐   des tickets de métro ☐   des clés ☐
des lettres ☐   des photos ☐   un stylo ☐
des cigarettes ☐

◆ **Activité 5**
Et dans votre sac, qu'est-ce qu'il y a ?

◆ **Activité 6 – Dans le sac de votre voisin, il y a... ? Devinez.**

GRAMMAIRE

4 ▪ Conjugaison

AVOIR		CHERCHER	
j'	ai	je	cherche
il	a	il	cherche
elle	a	elle	cherche
vous	avez	vous	cherchez

Là, Alex a un an.   Là, il a six ans.   Et là, il a douze ans.

5 ▪ L'interrogation

- Pour une personne : qui est-ce ?
  Qui est-ce ? Agathe.

- Pour une chose :   qu'est-ce que c'est ?
  Qu'est-ce que c'est ? Une clé.

◆ **Activité 7 – Avoir ou être ?**
Complétez et conjuguez comme dans l'exemple.

1 - Vous *êtes* étudiante ?

2 - Elle . . . . japonaise.

3 - Alex . . . . douze ans.

4 - Vous . . . . des enfants ?

5 - Il . . . . professeur de français.

6 - Je . . . . grand et blond.

7 - Elle . . . . sept enfants.

8 - Vous . . . . une carte bleue ?

9 - J' . . . . un sac rouge.

10 - Elle . . . . très jolie.

◆ **Activité 8 – Qui est-ce ? ou Qu'est-ce que c'est ?**
Complétez comme dans l'exemple.

– *Qui est-ce ?*   – *La cousine Julia.*

1 - . . . . ? Anne Baraud.   **3** - . . . . ? Une lettre de Julia.

2 - . . . . ? Une carte bleue   **4** - . . . . ? Le portefeuille d'Agathe.

◆ **Activité 9**
Qu'est-ce que c'est ? Devinez.

C'est la . . . . d'Agathe.

LEÇON 6
Bon anniversaire !

SITUATION 1

Écoutez.

La mère :	Demain, c'est l'anniversaire de Clara.
Le père :	Eh oui ! Seize ans !
	Qu'est-ce qu'elle veut ? Des livres ?
La mère :	Non, elle n'aime pas lire.
Le père :	Alors, des CD. Elle aime beaucoup le rap.
La mère :	Elle, oui, mais moi, non !
	Je n'aime pas le rap !
Le père :	Bon, bon, bon… Alors, elle veut
	un vêtement ? Une jupe ?
La mère :	Non. Elle aime seulement les jeans
	et les pulls !
Le père :	Alors, des jeans ! Et un pull.
La mère :	D'accord !

VOCABULAIRE

• le père, la mère • l'anniversaire • vouloir • un vêtement • un livre • lire
• un pull • des jeans • une jupe • un CD (compact disc) • seulement • alors
• treize (13) • quatorze (14) • quinze (15) • seize (16)

PRONONCIATION

◆ **Activité 1 – Le rythme de la phrase - Écoutez et répétez.**

• Qu'est-ce qu'elle veut ? Des livres ? Un pull ?

◆ **Activité 2 – Le son [ʒ] – Écoutez et répétez.**

• Elle, oui, mais moi, non !
• Bon, bon, bon…

1 ▪ Conjugaison   VOULOIR

je	veux
il/elle	veut
vous	voulez

2 ▪ La phrase négative : ne + verbe + pas

- Vous êtes français ?
  – Oui, je suis français. Et vous ?
  – Non, je ne suis pas français.

- Vous aimez Madonna ?
  – Oui. Et vous ?
  – Non, je n'aime pas Madonna.

Attention ! Ne + consonne :   Je ne suis pas français.
              N' + voyelle ou h :   Je n'aime pas lire. - Je n'habite pas à Toulouse.

◆ **Activité 3 – Répondez par une phrase négative, comme dans les exemples.**

– Vous aimez le jazz ?   *– Non, je n'aime pas le jazz.*
– Clara parle japonais ?   *– Non, elle ne parle pas japonais.*

1 - Vous habitez à Paris ?   **4** - Vous êtes français ?

2 - Clara aime les livres ?   **5** - Vous parlez espagnol ?

3 - Vous aimez la danse ?   **6** - La mère de Clara aime le rap ?

3 ▪ Articles indéfinis, articles définis

Elle veut un livre ?   Non, elle n'aime pas les livres.

◆ **Activité 4 – Répondez comme dans l'exemple.**

– Elle veut une jupe ?   *– Non, elle n'aime pas les jupes.*

1 - Vous voulez un sac ?   – Non, ...

2 - Vous voulez un livre ?   – Non, ...

3 - Elle veut un portefeuille ?   – Non, ...

4 - Vous voulez des jeans ?   – Non, ...

Écoutez.

Les parents :	Bon anniversaire, Clara.
Clara :	Oh ! merci. Qu'est-ce que c'est ?
Le père :	Ah ah !
Clara :	Un vêtement ?
Le père :	Oui...
Clara :	Une jupe ?
La mère :	Non !
Clara :	Euh... des jeans ?
La mère :	Oui.
Clara :	Oh, des jeans noirs !
	Merci, merci ! J'adore les jeans noirs.
	Et un pull ! Il est très joli.
	Merci beaucoup.

VOCABULAIRE

- Je n'aime pas, j'aime un peu, j'aime beaucoup, j'adore !

MANIÈRES DE DIRE

- Bon anniversaire ! • Merci beaucoup

PRONONCIATION   L'intonation

◆ **Activité 5 – Écoutez et répétez.**

– J'adore la musique classique ! Et vous ?
– Moi, j'adore le jazz !

GRAMMAIRE

4 ▪ Aimer + nom	Clara aime **la danse**, elle n'aime pas **les livres**.
Aimer + infinitif	Clara aime **danser**, elle n'aime pas **lire**.

PRONONCIATION

◆ **Activité 6 – Écoutez et répétez.**

J'aime…

J'aime la danse, j'aime le sport
J'aime Nicolas mais il préfère les livres, les livres, les livres.
Et moi, je n'aime pas les livres.

J'aime danser, j'aime nager, j'aime courir
J'aime Nicolas mais il préfère travailler, travailler, travailler !
Et moi, je n'aime pas travailler.

VOCABULAIRE

• préférer • travailler • nager • courir • danser

◆ **Activité 7 – Qu'est-ce que vous aimez ?**
Qu'est-ce que vous n'aimez pas ? Cochez les bonnes réponses.

☐ la musique classique   ☐ le théâtre Nô   ☐ la grammaire française
☐ le jazz New Orleans   ☐ le football   ☐ le rap américain
☐ la danse moderne   ☐ le cinéma anglais
☐ la cuisine française   ☐ le sport

◆ **Activité 8 – Avec le dictionnaire, cherchez…**

a • Aimer + nom
   – deux choses que vous n'aimez pas.
   – deux choses que vous aimez beaucoup.
   – deux choses que vous adorez.

Je n'aime pas…	*J'aime beaucoup…*	*J'adore…*
Je n'aime pas le rap.	*J'aime beaucoup le jazz.*	*J'adore le théâtre.*
....	....	....
....	....	....

b • Aimer + verbe infinitif
   – deux choses que vous n'aimez pas faire.
   – deux choses que vous aimez beaucoup faire.

Je n'aime pas…	*J'aime beaucoup…*
Je n'aime pas chanter.	*J'aime beaucoup lire.*
....	....
....	....

LEÇON 7
Combien ça coûte ?
SITUATION 1

Écoutez.

Louise :	Bonjour, monsieur ! Je voudrais un ananas et un kilo de pommes, s'il vous plaît.
Le vendeur :	Voilà...
Louise :	Les tomates, ça coûte combien ?
Le vendeur :	18 francs le kilo.
Louise :	Oh ! C'est cher !
Le vendeur :	Oui, mais elles sont délicieuses.
Louise :	Non... Je voudrais des carottes.
Le vendeur :	Aujourd'hui, elles ne sont pas chères : 6 francs le kilo.
Louise :	Et les avocats, ils coûtent combien ?
Le vendeur :	12 francs les quatre.
Louise :	D'accord, quatre avocats.

VOCABULAIRE

- cher, -ère • délicieux, -se • un ananas • une pomme • ils, elles • une tomate
- combien • une carotte • coûter • un avocat • je voudrais • un franc
- un kilo(gramme) → 5 / 23 / 49... kilos / kilogrammes • un vendeur
- aujourd'hui • voilà • ça

- dix-sept (17) • dix-huit (18) • dix-neuf (19)
- vingt (20) • trente (30) • quarante (40) • cinquante (50)

Attention ! 21 : vingt et un • 31 : trente et un • 41 : quarante et un
mais 22 : vingt-deux, 23 : vingt-trois..., 32 : trente-deux...,
42 : quarante-deux...

MANIÈRES DE DIRE

– Combien ça coûte ?
– Ça coûte combien ?   – 12 francs les quatre (avocats).

◆ **Activité 1 - Écoutez et faites comme dans les exemples.**

- *10 / 3 →* – *Ça coûte combien ?*
             – *10 francs les 3.*

- *12 / kilo →* – *Ça coûte combien ?*
                – *12 francs le kilo.*

À vous !

a - 17 / 2	**c** - 14 / 2	**e** - 20 / 3	**g** - 31 / kilo
b - 15 / kilo	**d** - 20 / 5	**f** - 48 / kilo	**h** - 15 / 3

◆ **Activité 2**
   Jeu de rôles.

GRAMMAIRE

1 ▪ Conjugaison

Le pluriel ils, elles :   Elles ne sont pas chères.
                          Ils coûtent combien ?

ÊTRE		COÛTER (verbes en -er)	
je	suis		
il/elle	est	il/elle/ça	coûte
vous	êtes		
ils/elles	sont	ils/elles	coûtent

2 ▪ Ça

Les tomates, ça coûte combien ?   ou   Elles coûtent combien ?
Les avocats, ça coûte combien ?   ou   Ils coûtent combien ?

                    ça + verbe 3ᵉ personne du singulier

3 ▪ Masculin et féminin pluriel

M	F
Les avocats ne sont pas chers.	Les tomates sont chères.
Ils sont délicieux.	Elles sont délicieuses.

En général :   Noms et adjectifs : pluriel = singulier + -s

Attention !

	un ananas délicieux	une tomate délicieuse
	des ananas délicieux	des tomates délicieuses
singulier	-eux	-euse
pluriel	-eux	-euses

◆ **Activité 3 - Complétez comme dans les exemples.**

1 - J'*habite* à Paris.   **2** - Je .... français.   **3** - J'............ la musique.
       Il .... à Madrid.   Elle *parle* chinois.   Il .... le sport.
       Vous .... à Tokyo.   Vous .... italien   Vous *aimez* les pommes.
       Elles .... à New York.   Ils .... espagnol.   Elles .... danser.

◆ **Activité 4 - Faites comme dans l'exemple.**

       (bleu)   Elle a une jupe .... → *Elle a une jupe bleue.*

1 - (japonais)   C'est une journaliste ....
2 - (joli)   Tania et Natacha sont très ....
3 - (délicieux / cher)   Les avocats sont................., mais ils sont ....
4 - (jeune)   Elle a des enfants très ....

Écoutez.

Josiane :   Je voudrais un imperméable
et des bottes...

Mei lei :   Moi, je voudrais un joli pull
ou une robe...
(...)

Mei lei :   150 francs le pull,
ce n'est pas cher...

Josiane :   Oui, il est joli et bon marché !
Moi, j'aime bien
l'imperméable rouge…

Mei lei :   Il coûte 629 francs et les bottes,
315 francs…

Josiane :   944 francs… Ça va !

Mei lei :   C'est génial, les soldes !

VOCABULAIRE

• un imperméable • des bottes (une botte) • une robe • les soldes (m.pl.)
• ou • bon marché
• **cent** (100) • **cent cinquante** (150) • **deux cents** (200) • **cinq cents** (500) • **sept
cents** (700) • **neuf cents** (900) • **mille** (1 000)

MANIÈRES DE DIRE

• Je voudrais un kilo de pommes.   **Je voudrais + nom**

• C'est génial, les soldes !   **C'est + adjectif masculin singulier + nom**
C'est génial, le sport !   **(pluriel ou singulier)**

PRONONCIATION   Le son (ã)

 ◆ **Activité 5 – Écoutez et répétez.**

• C'est étrange, très étrange !
• 30, 40, 50 et 100 !   • 300, 400, 500, 600 !
• 130, 140, 150 ou 200 ?   • 700 ? 800 ? 900 ? … 1 000 !

GRAMMAIRE

4 ▪ C'est + … / Ce n'est pas + … :

a • Qui est-ce ?

C'est Jean. Ce n'est pas Jean.
C'est un acteur. Ce n'est pas un acteur.

Qu'est-ce que c'est ? C'est un pull. Ce n'est pas un pull.

C'est + nom négation : Ce n'est pas + nom

b •

C'est joli. Ce n'est pas cher.

C'est + adjectif négation : Ce n'est pas + adjectif

◆ **Activité 6 – Jeu de rôles. Faites comme dans l'exemple.**

◆ **Activité 7 – Jeu de rôles.**

Vous regardez les soldes et vous discutez sur les prix.

LEÇON 8
L'addition, s'il vous plaît !
SITUATION 1

Écoutez.

Léo :	Garçon, s'il vous plaît !
Le garçon :	Bonjour, messieurs-dames. Qu'est-ce que vous prenez ?
Léo :	Qu'est-ce que vous voulez, Bénédicte ? Un café ? Un chocolat ? Une glace ?
Bénédicte :	Hum… Ça, qu'est-ce que c'est ?
Le garçon :	C'est un cocktail de légumes, tomate-carotte…
Bénédicte :	Euh… non, je ne veux pas ça ! Je déteste les tomates ! Un thé, s'il vous plaît.
Le garçon :	Bien. Et vous, monsieur ?
Léo :	Moi, je voudrais une bière, s'il vous plaît.
Le garçon :	Une bière… allemande ? anglaise ? belge ? chinoise ?
Léo :	Non, non…
Le garçon :	Espagnole ? japonaise ? euh… italienne ?
Léo :	Non ! Une bière française, s'il vous plaît.
Le garçon :	Très bien, monsieur. (…)
Léo :	L'addition, s'il vous plaît !
Le garçon :	Oui, monsieur. Vous avez un thé : 10 francs, et une bière : 18 francs… Ça fait 28 francs.

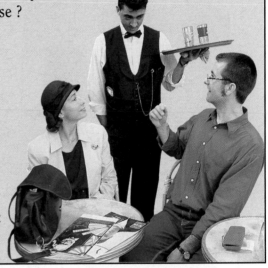

◆ **Activité 1 – Écoutez de nouveau le dialogue et complétez.**

Bénédicte veut : ……………   Léo veut : ……………   Bénédicte déteste : ……………

VOCABULAIRE

- messieurs-dames • un café • un chocolat • une glace • un cocktail
- des légumes (n.m.) • un thé • une bière • prendre • détester
- allemand, -de • belge • L'addition, s'il vous plaît ! • Garçon (s'il vous plaît) !

MANIÈRES DE DIRE

- Combien ça fait ? – (Ça fait) 28 francs, madame.   **Ça fait + … francs**
- Très bien (= d'accord)

◆ **Activité 2 – À vous ! Faites comme dans l'exemple.**

Ça coûte 15 F, 10 F, 17 F, et 16 F

17 francs

16 francs

15 francs

10 francs

Louis :   Je veux un café.
Clara :   Et moi, une bière, s'il vous plaît.
Le garçon :   Ça fait 27 francs.

PRONONCIATION   Rythme et intonation

◆ **Activité 3 – Écoutez et répétez.**

- un thé (2)
- Un café, s'il vous plaît. (3/3)
- Vous voulez un café ou un thé ? (3/3/3)

- un café (3)
- un café et un thé (3/3)
- Je voudrais un café, s'il vous plaît. (3/3/3)

GRAMMAIRE

1 ▪ Conjugaison   **PRENDRE**

je	prends
il/elle	prend
vous	prenez
ils/elles	prennent

2 ▪ Ça

Les tomates, ça coûte combien ?   → ça = les tomates
Ça fait 28 francs.   → ça = l'addition (10 + 18 = 28)
Ça, qu'est-ce que c'est ?   → ça = le cocktail
Je ne veux pas ça.   → ça = le cocktail

ça est **singulier**
ça = **une** ou **des** chose(s)

◆ **Activité 4 – Ça = … ? Complétez comme dans l'exemple.**

1 - Je déteste ça !
   ça = *les carottes*

3 - J'adore ça !
   ça = ...

2 - Ça, c'est génial !
   ça = ...

4 - Qu'est-ce que vous voulez ? – Ça !
   ça = ...

Écoutez.

La serveuse :	Bonjour, messieurs-dames. Qu'est-ce que vous prenez ?
Anna :	Est-ce que vous avez des sandwichs ? Ou des omelettes ?
La serveuse :	Il y a des sandwichs, des omelettes, des salades…
Rémi :	Moi, je prends un sandwich.
La serveuse :	Fromage, jambon-beurre… ?
Rémi :	Jambon-beurre, s'il vous plaît.
Anna :	Moi, je préfère une omelette et une salade verte.
La serveuse :	Bien madame. Et comme boisson ?
Rémi:	Une bière et…
Anna :	Et un jus de tomate, s'il vous plaît.
La serveuse :	C'est tout ?
Anna :	Oui, merci.
	(…)
Rémi :	S'il vous plaît !… Ça fait combien ?
La serveuse :	Alors… un sandwich jambon-beurre : 19 francs, une salade verte : 12 francs, une omelette : 25 francs, une bière : 18 francs, un jus de tomate : 17 francs, ça fait… 91 francs.

VOCABULAIRE

• un serveur, une serveuse • un sandwich • une omelette • une salade (une salade verte) • c'est tout • une boisson • le fromage • le jambon • le beurre (jambon-beurre)

• Les nombres : **soixante** (60) - **soixante-dix** (70) - soixante-quinze (75) - soixante-dix-sept (77) - soixante-dix-huit (78) - soixante-dix-neuf (79) - **quatre-vingts** (80) - quatre-vingt-un (81)… - **quatre-vingt-dix** (90) - quatre-vingt-onze (91)… - quatre-vingt-seize (96) - quatre-vingt-dix-sept (97)… - quatre-vingt-dix-neuf (99)

MANIÈRES DE DIRE

• Et comme boisson ?	– Un café.
• C'est tout ?	– Non, je voudrais aussi une bière.

◆ **Activité 5 – Faites comme dans l'exemple.**

1 - Rémi veut	**a** - un jus de tomate.
2 - Anna prend	**b** - 25 francs.
3 - Il y a des sandwichs,	**c** - une bière.
4 - Ça fait	**d** - une omelette et une salade verte.
5 - Rémi prend	**e** - des omelettes, des salades…
6 - Anna préfère	**f** - 91 francs.
7 - Une omelette coûte	**g** - un sandwich.

GRAMMAIRE

3 ▪ L'interrogation avec : a • Est-ce que (qu' + voyelle)… ?
   – Est-ce que vous avez des sandwichs ? (= Vous avez des sandwichs ?) – Oui / Non.

b • Qu'est-ce que (qu' + voyelle)… ?
   – Qu'est-ce que vous prenez ? – Un thé, s'il vous plaît.

→ Qu'est-ce que + sujet + verbe ?

Structure fréquente :   interrogatif + sujet + verbe + ?

4 ▪ Il y a + nom **singulier** ou nom **pluriel**
   Il y a des sandwichs, des omelettes…
   Il y a une lettre.

PRONONCIATION

◆ **Activité 6 – Écoutez et répétez.**

- Est-ce que vous voulez un thé ?
- Qu'est-ce que vous prenez ? Une bière ?
- Qu'est-ce qu'il y a ? Des salades ? Des sandwichs ?…
- Est-ce qu'il y a des sandwichs ?
- Est-ce que vous aimez le jus de carotte ?

◆ **Activité 7 – Jeu de rôles.**

Vous êtes dans un café comme dans la situation 1 ou 2.

BILAN et STRATÉGIES

A - MAINTENANT VOUS SAVEZ...

1 Utiliser les articles définis et indéfinis

a • Regardez :   I - – Qui est-ce ?
            – **Un** professeur.

         II - – Qui est-ce ?
            – **Le** professeur **de français de Thomas.**

Dans I, il y a beaucoup de professeurs.
Dans II, Thomas a seulement **un** professeur de français.

         I - – Qu'est-ce que c'est ?
            – C'est **un** livre.

         II - – Un livre ?
            – Oui, c'est **le** livre **de français de Thomas.**

Dans I, je parle d'**un livre en général**, mais est-ce que c'est un livre de français, de japonais, de mathématiques... ? Je ne sais pas.

Dans II, je parle d'**un livre particulier**, **le** livre **de français de Thomas.**

◆ Activité 1 – Un, une, des ou le, la, les ? Faites comme dans l'exemple.

– *Qu'est-ce qu'il prend ?*
– *Il prend* **un** *café et* **une** *bière.*

– Je voudrais .... sac, s'il vous plaît, ... joli sac.
– .... sac rouge, là ? Il n'est pas cher.
– Non, je préfère .... sac noir, là.

◆ Activité 2 – Complétez comme dans l'exemple.

– À Paris, est-ce que vous connaissez :
   un fleuve ? – Oui, la Seine.

1 • une tour ?   – Oui, la tour ....
2 • un musée ?   – Oui, le musée ....
3 • un jardin ?   – Oui, le jardin ....

(Cherchez sur le plan de Paris.)
4 • un pont ?   le pont ....
5 • une place ?   la place ....
6 • une rue ?   la rue ....

2 Utiliser la négation : ne (ou n') ... pas

– Vous voulez un sandwich ?
– Non merci, je **n'**aime **pas** les sandwichs.

– Elle parle japonais ?
– Non, elle **ne** parle **pas** japonais mais elle comprend.

◆ Activité 3 – Répondez par une phrase négative.

1 • Elle regarde la télévision ?
2 • Vous habitez à Londres ?
3 • Vous êtes française ?
4 • Elle aime lire ?
5 • Il aime danser ?
6 • Le pull est très cher ?

3 Utiliser le pluriel

Je voudrais **un avocat**.

Je voudrais **des avocats**.

◆ Activité 4 – Faites comme dans l'exemple.

   Les pommes   *sont*   *cher.*
   Le pull   *est*   *délicieuses.*

1 • Anita	est	délicieuses.
2 • Le pull	est	jolie.
3 • Les tomates	sont	chers.
4 • Les avocats	sont	très beau.
5 • La jupe bleue	est	blonde.

B - COMMENT FAIRE ?

1 **En classe : demander des informations, des précisions**

Vous ne connaissez pas un mot
(un « bateau », par exemple) :

– S'il vous plaît, je ne comprends pas
le mot « bateau ».

– Vous pouvez répéter, s'il vous plaît ?

– Qu'est-ce que c'est, « un bateau »,
s'il vous plaît ?

2 **Avec les Français : demander quelque chose - accepter, refuser - remercier**

1 •   – Monsieur, s'il vous plaît, je voudrais une bière.

  – Vous voulez une bière française ?

  – Oui, merci.

2 •   – Vous voulez un CD de rap ?

  – Non merci, je préfère la musique classique.

3 •   – Je voudrais deux places pour *La Tosca*, s'il vous plaît.

  – Très bien. Voilà.

  – Merci beaucoup.

VOCABULAIRE

• là • un fleuve • une tour • un musée • un jardin • un pont • une place • une rue

LEÇON 9
Où allez-vous ?

SITUATION 1

Écoutez.

Elsa :	Pardon, monsieur, je suis perdue.
L'homme :	Où allez-vous ?
Elsa :	Je voudrais aller à la gare de Lyon.
L'homme :	Oh! C'est facile. Vous allez tout droit...
Elsa :	Oui.
L'homme :	Vous arrivez à une place. Il y a quatre rues. Vous prenez la première rue à gauche.
Elsa :	À gauche. Oui.
L'homme :	Après, vous tournez à droite, euh non, à gauche, non, non, non, à droite. La deuxième rue à droite.
Elsa :	Euh, alors, je vais tout droit jusqu'à la place, je tourne à la première rue à gauche, je prends la deuxième rue à droite... Euh... C'est loin ?
L'homme :	Non, c'est tout près.
Elsa :	Merci beaucoup, monsieur.

◆ **Activité 1 – Écoutez de nouveau le dialogue et cochez la bonne réponse.**

Pour aller à la gare de Lyon, Elsa va :

☐ **1** - Tout droit - une place - trois rues - la deuxième rue à gauche - la deuxième rue à droite

☐ **2** - Tout droit - une place - quatre rues - la première rue à gauche - la deuxième rue à gauche

☐ **3** - Tout droit - une place - quatre rues - la première rue à gauche - la deuxième rue à droite

VOCABULAIRE

- où ?
- tout droit
- loin
- près
- tout près
- tourner
- arriver

- à droite

- à gauche

- une gare

- 1er : premier
- 2e : deuxième
- 3e : troisième
- perdu, -e
- facile
- jusqu'à

MANIÈRES DE DIRE

- Pardon, monsieur. • Je suis perdue. • Vous prenez la rue à droite.

◆ **Activité 2 - Écoutez et répétez.**

• C'est facile ? – Oui, c'est très facile.   • C'est loin ? – Non, c'est tout près.

◆ **Activité 3 - Le son [u] - Écoutez et répétez.**

– Je cherche Loulou.
– Elle habite où ?
– Rue de Moscou. C'est tout près.

Le son [u] s'écrit toujours ou :
   Vous vous appelez Loulou ?   Où allez-vous, Loulou ?

GRAMMAIRE

1 ▪ Conjugaison   **ALLER**
                        je   vais
                        il/elle   va
                        vous   allez
                        ils/elles   vont

   • Je vais à la gare de Lyon. C'est loin ?   – Non, vous **allez** tout droit.
   • Elle **va** au musée Rodin. Ellen et Ariadna **vont** à Paris.

2 ▪ **Je voudrais + nom**
        Je voudrais **une bière**, s'il vous plaît.   (voir leçon 8)

   Je voudrais + verbe
        Je voudrais **aller** à la gare de Lyon.

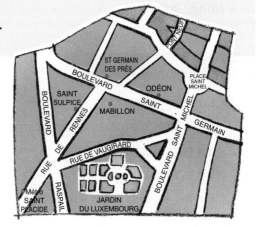

◆ **Activité 4 - Explication A, B ou C ?**

Ariadna cherche la place Saint-Michel.
Elle est au métro Saint-Placide.
Regardez le plan et répondez.

A - Vous prenez la rue de Vaugirard à gauche jusqu'au boulevard Saint-Germain.
Vous allez tout droit, jusqu'à la place Saint-Michel.

B - Vous prenez la rue de Vaugirard à droite jusqu'au boulevard Saint-Michel.
Après, vous prenez à gauche. C'est tout droit, près de la Seine.

C - Vous prenez la rue de Rennes à droite jusqu'au boulevard Saint-Germain.
Vous prenez le boulevard Saint-Germain à gauche. La place Saint-Michel est tout droit.

Écoutez.

La concierge :	Ah, mademoiselle Yasmine, bonjour.
Yasmine :	Bonjour, madame.
La concierge :	Où est-ce que vous allez ?
Yasmine :	Je vais à la cinémathèque.
La concierge :	Ah ! Vous avez un rendez-vous ?
Yasmine :	Euh, oui. La cinémathèque, c'est loin ?
La concierge :	Vous allez à pied ?
Yasmine :	Non, en métro.
La concierge :	Bon, en métro, c'est facile.
	Vous prenez le métro jusqu'à Trocadéro. C'est tout près.
Yasmine :	Merci, madame. Au revoir.
La concierge :	Au revoir. Bonne soirée !

VOCABULAIRE

• un rendez-vous • à pied • le métro • la cinémathèque • un/une concierge

MANIÈRES DE DIRE

• prendre le métro - prendre le bus • aller en métro - aller à pied
• Bonne soirée !

GRAMMAIRE

3 ▪ L'interrogation (1)

Il y a trois manières de poser une question :

a	• par intonation	– Vous allez où ?
b	• avec est-ce que	– Où est-ce que vous allez ?
c	• par inversion du sujet	– Où allez-vous ?

◆ **Activité 5**
**Demandez à Loulou
où elle habite de trois
manières différentes.**

1 - ....

2 - ....

3 - ....

GRAMMAIRE

4 ▪ **Les articles indéfinis et définis**

	Indéfinis	Définis
	un boulevard	le boulevard
	une place	la place
	un boulevard, une rue - le boulevard..., la rue...	

Il y a <u>une</u> place.   C'est <u>la</u> place Le Corbusier.

Vous arrivez à <u>une</u> rue.   C'est <u>la</u> rue Saint-Placide.

◆ **Activité 6 – Ellen va à la gare d'Austerlitz.
Elle est à l'université de Paris VII-Jussieu (rue Jussieu).**

– S'il vous plaît, je voudrais aller à la gare d'Austerlitz.
– En métro ou à pied ?
– À pied.

Avec le plan, vous expliquez le chemin à Ellen.

C'est facile : ....

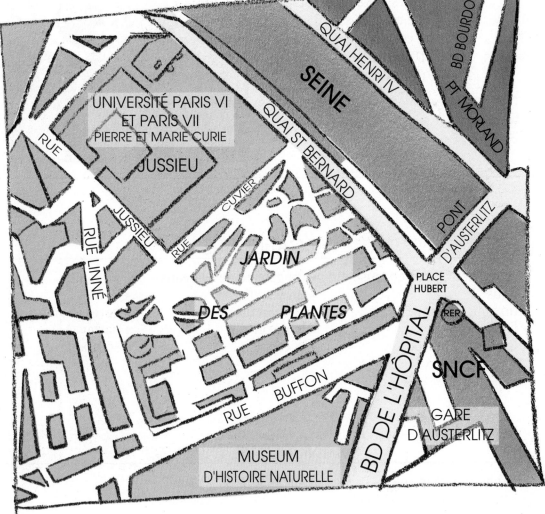

LEÇON 10
La caisse ? C'est au fond, à gauche

SITUATION 1

Écoutez.

Maryse :	Pardon, mademoiselle, je cherche des amis : un homme grand et barbu, et une femme petite, brune, souriante…
Agathe et Jean :	Nous sommes là !
Maryse :	Ah ! Ils sont là… Excusez-moi !
	(…)
Agathe :	Alors j'ai le café, les fruits… mais j'ai besoin de fromage !
Jean :	Et les enfants veulent des yaourts, des yaourts avec des fruits !
Agathe :	Où est le rayon ?
Jean :	Je ne sais pas. Pardon, madame, où est le rayon crèmerie, s'il vous plaît ?
La vendeuse :	Devant vous, après le rayon charcuterie.
Agathe :	Je prends les yaourts. Après, je vais à la caisse.
Maryse :	Où est la caisse ?
Agathe :	C'est au fond, à gauche.
Maryse :	D'accord. Je prends des gâteaux et j'arrive.
Jean :	J'arrive aussi.

VOCABULAIRE

- un vendeur, une vendeuse
- nous
- un ami, une amie
- la crèmerie
- les fruits (un fruit)

- un gâteau, des gâteaux
- un yaourt
- la charcuterie
- le rayon
- la caisse

- au fond
- devant
- après (+ nom)
- barbu
- souriant, -e

MANIÈRES DE DIRE

- J'ai besoin de fromage.   Avoir besoin de + nom

PRONONCIATION Rythme et intonation

◆ **Activité 1 – Écoutez et répétez.**

- Ah ! Ils sont là… Excusez-moi ! (1/3/4)
- Où est le rayon ? (4)
- Je ne sais pas. Pardon, madame, où est le rayon crèmerie, s'il vous plaît ?
  (3/2/2/2/5/3)

GRAMMAIRE

1 ▪ Conjugaison (1) : nous

Agathe et Jean : Nous sommes là !
Maryse :   Ah! Ils sont là…

ÊTRE

je	suis
il/elle	est
nous	**sommes**
vous	êtes
ils/elles	sont

nous =   je + vous   je + il(s)/elle(s)

2 ▪ Masculin, féminin et pluriel

Je cherche des amis : un homme et une femme… Ils sont là…

masculin singulier + féminin singulier = masculin pluriel

3 ▪ Masculin pluriel : -x

Je prends des gâteaux
un gâteau, des gâteaux

masculin singulier : -eau → pluriel : -eaux

◆ **Activité 2 – Faites comme dans l'exemple.**

Anna et Pierre sont des ami... français... : ...... aiment beaucoup le fromage.
→ Anna et Pierre sont des amis français : ils aiment beaucoup le fromage.

1 - Yukiko et Yuko sont des ami... japonais... :
...... parlent bien français.

3 - Monsieur et madame Dupont sont des
journaliste... français... : ...... adorent voyager.

2 - Victor et Agathe sont des ami... musicien... ;
...... ne sont pas célèbres.

4 - Carmen et Conchita sont des étudiant... espagnol... :
...... aiment bien la danse.

Écoutez.

Aline : Nous allons faire les courses ?

Frank : Oui, d'accord.
Les enfants, vous restez à la maison.

Aline : Nous prenons la voiture ?

Frank : Oui.
(...)

Frank : Bon ! Qu'est-ce que nous avons
sur la liste ?

Aline : Moi, je prends les fruits et les légumes...

Frank : Moi, je prends les yaourts.
(...)

Aline : Ça y est ?

Frank : Oui, je pèse ça et j'arrive.

VOCABULAIRE

- les courses
- une voiture
- une liste
- la maison

- faire (les courses)
- rester (à)
- peser
- sur

◆ **Activité 3 – Cochez la bonne réponse.**

1 - Qui va faire les courses ?
- Aline ? ☐
- Aline et les enfants ? ☐
- Aline et Frank ? ☐

3 - Ils vont faire les courses :
- à pied ? ☐
- en métro ? ☐
- en voiture ? ☐

2 - Qu'est-ce qu'ils prennent ?
- des fromages ? ☐
- des yaourts ? ☐
- des gâteaux ? ☐

4 - Aline prend :
- le fromage et les yaourts ? ☐
- les fruits et les légumes ? ☐
- le jambon et le beurre ? ☐

MANIÈRES DE DIRE

- Ça y est ? • rester / être à la maison

GRAMMAIRE

4 ▪ Conjugaison (2)

ALLER		AVOIR		VOULOIR		PRENDRE	
je	vais	j'	ai	je	veux	je	prends
il/elle	va	il/elle	a	il/elle	veut	il/elle	prend
nous	allons	nous	avons	nous	voulons	nous	prenons
vous	allez	vous	avez	vous	voulez	vous	prenez
ils/elles	vont	ils/elles	ont	ils/elles	veulent	ils/elles	prennent

◆ **Activité 4 – Complétez avec : aller, avoir, coûter, être, habiter, parler, prendre, vouloir, comme dans l'exemple.**

Elle …… français → Elle parle français.

1 - Je ………… faire les courses.

2 - Il ………… un livre.

3 - Elle………… le métro.

4 - Ça ………… combien ?

5 - Nous ………… deux enfants

6 - Vous ………… italien ?

7 - Ils ………… à Pékin.

8 - Elles …………… étudiantes.

GRAMMAIRE

5 ▪ Nous et vous

a • Les enfants, vous restez à la maison. Nous allons faire les courses.

Vous = les enfants   Nous = je (Aline) et Frank
   → pluriel   → pluriel

b • **Attention !**   • Maryse : Agathe et Jean ! Vous êtes là !
                          vous = Agathe + Jean → pluriel

                       • Où allez-vous, mademoiselle ?
                          vous = mademoiselle → singulier

◆ **Activité 5 – Jeu de rôles.**

1. Vous faites une liste de courses.
2. Vous achetez des carottes, etc. Faites comme dans l'exemple.

LEÇON 11
Je cherche un trois-pièces
SITUATION 1

Écoutez.

La voisine : Bonjour. Qu'est-ce que vous regardez ? Vous cherchez un appartement ?

Lisa : Oui, je voudrais déménager.

La voisine : Ah ? Vous voulez combien de pièces ?

Lisa : Trois : un séjour et deux chambres.

La voisine : Là, regardez : Beau trois-pièces, 80 m², grand séjour, deux chambres, cuisine, salle de bains, deux WC, quatrième étage, immeuble neuf...

Lisa : Où est l'appartement ?

La voisine : Dans le sixième arrondissement, rue de Rennes.

Lisa : Ah non, c'est un quartier très cher. Trop cher pour moi !

VOCABULAIRE

- un voisin, une voisine • regarder • déménager
- un deux-pièces, un trois-pièces • un séjour
- une chambre • une cuisine • une salle de bains
- le plan de l'appartement
(80 m² = 80 mètres carrés)

- un arrondissement • un quartier • un immeuble
- un étage

- 4e : quatrième • 5e : cinquième • 6e : sixième
- pour (moi) • neuf, neuve

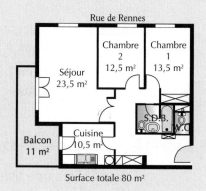

MANIÈRES DE DIRE

- Un petit trois-pièces, un beau cinq-pièces
- Ah non, c'est trop cher !

◆ **Activité 1 – Jeu de rôles.**

Vous faites visiter l'appartement de la rue de Rennes.
Utilisez le plan.

L'intonation exclamative : refuser quelque chose

◆ Activité 2 – Écoutez et répétez.

- Ah non, c'est trop cher pour moi !
- Ah non, c'est trop loin pour moi !
- Ah non, c'est trop grand pour moi !

GRAMMAIRE

1 ▪ C'est + adjectif
C'est cher. - C'est beau. - C'est grand. (voir leçon 7 : C'est génial, les soldes !)

Attention ! Regardez :

if s

Le sixième arrondissement, c'est cher.	**MAIS** Le sixième arrondissement est cher.
La rue de Rennes, c'est cher.	La rue de Rennes est chère.
Les appartements à Paris, c'est cher.	Les appartements à Paris sont chers.
Les robes de Dior, c'est beau mais cher.	Les robes de Dior sont belles mais chères.

m + pl
f + pl

C'est + adjectif non marqué (= masculin, singulier)

2 ▪ L'interrogation

  a • sur le lieu : où... Réponse : un lieu ou une direction

   – La rue de Rennes, où est-ce ? – Dans le sixième arrondissement. *c'est*
   – La rue de Rennes, c'est où ? – C'est tout droit.

  b • sur la quantité : combien de... Réponse : une quantité

   – Vous avez combien de filles ? – Deux, Amina et Nadia.

fG - préposition interrogative
3 ▪ Attention à la préposition :
   Il habite dans le sixième (arrondissement).
   Il habite au sixième (étage).

à + le

IL HABITE AU SIXIÈME ÉTAGE.

6e
5e
4e
3e
2e
1er

◆ Activité 3 – Trouvez une question possible pour la réponse comme dans l'exemple.

- *Réponse :*   *Trois : un séjour et deux chambres.*
- *Question possible :*   *Il y a combien de pièces dans l'appartement ?*

1 • Réponse :   Deux, un garçon et une fille.
Question possible : *Il y a combien d'enfants dans cette famille*

2 • Réponse :   Deux, une Mercedes et une Honda.
Question possible : *voitures*

3 • Réponse :   Quatre, la gare de Lyon, la gare de l'Est, la gare du Nord et la gare Montparnasse.
Question possible : *Il y a combien de gare à Paris ?*

Écoutez.

L'employé : Bonjour, madame. Vous désirez... ?

Lisa : Bonjour, monsieur. Je voudrais un trois-pièces, *(PS)*
dans un quartier sympathique...

L'employé : Attendez... Je regarde. Ah, voilà ! J'ai un joli trois-pièces
dans le troisième arrondissement. Un séjour et deux chambres.
C'est un immeuble ancien, 53 m², *cinquante trois*
cinquième étage sans ascenseur.

Lisa : 53 m², c'est petit !
Et c'est haut !

L'employé : Oui, mais les chambres
et le séjour sont très clairs.
Et le quartier est vivant.
Il y a un petit jardin.

Lisa : C'est cher ?

L'employé : Non, c'est bon marché
pour le quartier.

VOCABULAIRE

• un(e) employé(e)• sympathique • vivant, -e • un immeuble • ancien, -ne
• un ascenseur • clair, -e • un jardin • pour (le quartier) • haut, -e

MANIÈRES DE DIRE

• Vous désirez... • Attendez... • Ah voilà !
• un quartier vivant (animé)

GRAMMAIRE

4 ▪ **L'accord des adjectifs** (rappel)

• Nom masculin → adjectif masculin   Pierre est **grand**.
  Nom féminin → adjectif féminin   Maria est **grande**.

• Nom masculin + nom(s) féminin(s) → adjectif masculin pluriel
      Anna, Noriko, Paul et Maria sont **grands**.

• Nom féminin + nom féminin → adjectif féminin pluriel
      Anna et Noriko sont **grandes**.

• Nom singulier → adjectif singulier   La chambre des enfants est **petite**.
  Nom pluriel → adjectif pluriel   Les trois chambres et le séjour sont **petits**.

◆ **Activité 4 – Reliez les noms et les adjectifs comme dans l'exemple.**

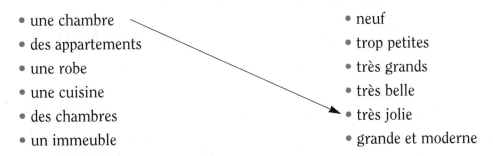

- une chambre
- des appartements
- une robe
- une cuisine
- des chambres
- un immeuble

- neuf
- trop petites
- très grands
- très belle
- très jolie
- grande et moderne

◆ **Activité 5 – Même consigne : reliez les noms et les adjectifs.**

- un appartement et un immeuble
- une salle de bains et un séjour
- une cuisine et des chambres

- anciens
- très claires
- très grands

◆ **Activité 6 – Voici un plan et trois petites annonces. À quelle annonce correspond le plan ?**

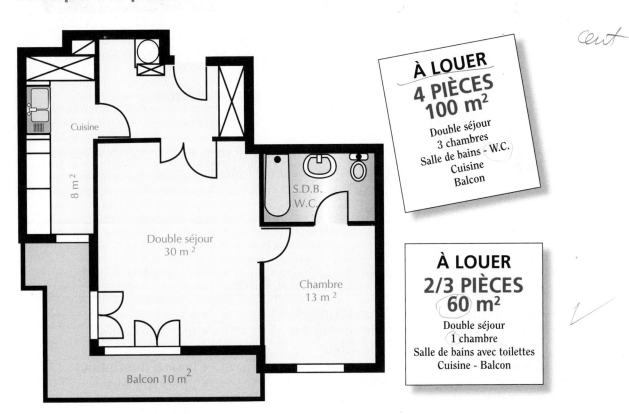

À LOUER
4 PIÈCES
100 m²
Double séjour
3 chambres
Salle de bains - W.C.
Cuisine
Balcon

À LOUER
2/3 PIÈCES
60 m²
Double séjour
1 chambre
Salle de bains avec toilettes
Cuisine - Balcon

À LOUER
5 PIÈCES - 130 m²
Double séjour - 4 chambres
2 salles de bains - 2 W.C.
Cuisine - Balcon

LEÇON 12
Où est le bâtiment B, s'il vous plaît ?

SITUATION 1

B **Écoutez.**

Stage de commerce international

CONVOCATION

Accueil des stagiaires :
9 heures, bureau d'accueil du bâtiment B.

Début du stage :
9 h 30, salle B 820 (huitième étage)

Mme Martinez :	Bonjour, monsieur. Où se trouve le bâtiment B, s'il vous plaît ?
Le concierge :	Le bâtiment B ？
	Vous voyez la porte au fond, à gauche ？ C'est là.
Mme Martinez :	Merci beaucoup.
	(...)
Mme Martinez :	Bonjour, madame, je viens pour le stage de commerce. C'est ici ？
La secrétaire :	Oui... Vous avez la convocation ？ Merci...

VOCABULAIRE

- l'accueil
- un bureau
- une porte
- une heure
- un stage
- se trouver

- un bâtiment
- le commerce
- le début
- international-e
- un(e) secrétaire
- venir

- ici
- une convocation
- une salle
- pour (l'inscription)
- un(e) stagiaire
- voir

◆ **Activité 1 – Complétez avec la bonne réponse.**

1 - C'est un stage .... 2 - Le bâtiment B se trouve ....

PRONONCIATION   Le son (j)

◆ **Activité 2 – Écoutez et répétez.**

- Où se trouve l'accueil ?
  – Vous voyez, là au fond ? Il y a un bâtiment, c'est là.
- Vous vous appelez Yasmine ?

GRAMMAIRE

1 ▪ Conjugaison

a •

VOIR		VENIR	
je	vois	je	viens
il/elle	voit	il/elle	vient
nous	voyons	nous	venons
vous	voyez	vous	venez
ils/elles	voient	ils/elles	viennent

b • Attention à **SE TROUVER** → il se trouve (voir « il s'appelle ») !

2 ▪ C'est + ici/là

- Vous voyez la porte au fond, à gauche ? C'est là.

- L'accueil pour le stage de commerce, c'est ici ?

◆ **Activité 3 – Complétez avec voir ou venir comme dans l'exemple.**

Nous .... pour les inscriptions. → *Nous venons pour les inscriptions.*

1 - Le bureau d'accueil ? Vous .... cette porte ? C'est là.
2 - Ce garçon .... pour le stage de cuisine.
3 - Je .... la porte A, mais où est le bâtiment B ?
4 - Ils .... pour l'appartement.

Écoutez.

Julie : Pardon, monsieur, nous cherchons le secrétariat de chinois.

L'appariteur : C'est pour les inscriptions ?

Carmen : Oui.

L'appariteur : Vous avez une convocation ?

Julie : Oui.

L'appariteur : Bien. Le secrétariat se trouve au quatrième étage.

Julie : Ah ?

L'appariteur : Vous prenez ce couloir : il y a un ascenseur au fond.

Carmen : Merci.

L'appariteur : Attendez, je viens avec vous.

(…)

L'appariteur : Ah, cet ascenseur ! Il ne marche pas ! Nous prenons l'escalier ?

(…)

L'appariteur : Vous voyez ? C'est cette porte.

Julie : Ah oui : SECRÉTARIAT !

(…)

L'appariteur : Violette, ces jeunes filles viennent pour l'inscription.

VOCABULAIRE

• ce, cet, cette, ces • le secrétariat • un couloir • une inscription

MANIÈRES DE DIRE

• Cet ascenseur ne marche pas. Il ne marche pas.

◆ **Activité 4 – Faites comme dans l'exemple.**

1 - Pardon, je cherche le secrétariat…

2 - Où se trouve le bâtiment A ?

3 - L'accueil, c'est ici ?

4 - La salle C 312, où est-ce ?

5 - Il y a un ascenseur ?

a - Ah non ! Ici c'est le secrétariat.

b - C'est au troisième étage, à droite.

c - Oui, à gauche de l'escalier.

d - C'est au fond, à droite.

e - Vous voyez le bâtiment rouge, à gauche ? C'est là.

PRONONCIATION

◆ **Activité 5 - Écoutez et répétez.**

• un → **premier** • deux → **deuxième** • trois → **troisième** • quatre → **quatrième** • cinq → **cinquième** • six → **sixième** • sept → **septième** • huit → **huitième** • neuf → **neuvième** • dix → **dixième**

GRAMMAIRE

3 ▪ **Les démonstratifs : ce, cette, ces + nom**

Vous prenez ce couloir.   ce + nom masculin singulier
C'est **cette** porte.   cette + nom féminin singulier

Ces jeunes filles viennent pour l'inscription.   ces + nom masculin ou féminin **pluriel**

Attention ! a • **Cet** + nom masculin singulier avec voyelle
– Ah, cet ascenseur ne marche pas !

b • **Le démonstratif remplace l'article.**
C'est cette porte, là = C'est la porte, là.

◆ **Activité 6 - Complétez avec ce, cet, cette, ces.**
Faites comme dans l'exemple.

– *Vous habitez dans cet immeuble ? – Oui.*

1 - Les enfants aiment .... musique ? – Non.
2 - Qu'est-ce qu'elles cherchent : le bâtiment B ? C'est .... bâtiment, là.
3 - Vous voulez .... livres ? – Non.
4 - Regardez ...... photos ! Elles sont géniales.

◆ **Activité 7 - Jeu : trouvez les objets perdus.**

Où se trouvent ces objets ?

BILAN et STRATÉGIES

A - MAINTENANT VOUS SAVEZ...

1 Faire une phrase française

a • Question

Il s'appelle	comment ?
S + V	**+ interrogatif**
Comment	il	s'appelle ?

interrogatif + S + V

Qu'est-ce que vous cherchez ?

interrogatif + S + V

Où allez-vous ?

interrogatif + V + S

b • Réponse (phrase déclarative)

Il   s'appelle   Hugo.

Je   cherche   un quatre-pièces.

Je   vais   à la gare.

S + V + ...

2 Construire le groupe du nom

• **Singulier**

masculin : **un / l' / cet** appartement neuf

féminin : **une / la / cette** robe neuve

• **Pluriel**

masculin : **des / les / ces** appartements neufs

féminin : **des / les / ces** robes neuves

◆ **Activité 1 -**
   Faites comme dans l'exemple.

   une (grand) famille → une grande famille

1 - des enfants (jeune)

   . . . .

2 - un quartier et une rue (ancien)

   . . . .

3 - des amis (chinois)

   . . . .

4 - une chambre (neuf)

   . . . .

5 - des femmes (joli)

   . . . .

6 - des légumes (cher)

   . . . .

3 Utiliser c'est + ...

• Qui est-ce ?
– C'est Anna / – C'est la cousine de Mireille.
• Qu'est-ce que c'est ?
– C'est un plan.
• C'est joli ?
– Oui, c'est joli et ce n'est pas cher.
• L'accueil, c'est ici ?
– Oui, c'est ici.

◆ **Activité 2 - Complétez.**

Qui est-ce ? C'est . . . .

Qu'est-ce que c'est ? C'est . . . .

Où est-ce ? C'est . . . .

B - COMMENT FAIRE ?

1 **En classe :**
    comprendre le dictionnaire

Dans la voiture, il y a un gros chien :
il saute.

– Qu'est-ce que c'est : « dans », « chien »,
« gros », « saute » ?

Regardez le dictionnaire :

chien : **n.m.** → = **nom masculin**

gros, grosse : **adj.** → = **adjectif ;**
masculin : gros, féminin : grosse

dans : **prép.** → = **préposition**
(sur, à, de, avec... sont des prépositions)

sauter : v. → **v. = verbe** (les verbes sont
toujours à l'infinitif dans le dictionnaire)

◆ **Activité 3 – Cherchez dans le dictionnaire les mots en gras.**

Dans la **cour**, il y a des enfants **derrière** les **arbres** et, **sous** un **banc**, il y a un **ballon** perdu.

---

2 **Avec les Français : son chemin, s'orienter sur un plan**

- Où est la gare, s'il vous plaît ?
- Pardon, l'accueil, c'est où ?
- Nous cherchons le secrétariat...
- Je voudrais aller à Notre-Dame...

◆ **Activité 4 – Jeu de rôles. Visitez Paris !**

Exemple : vous allez de la gare Saint-Lazare au Louvre.

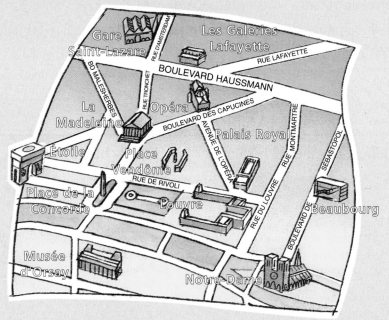

LEÇON 13
Tu viens, Cyril ?
SITUATION 1

Écoutez.

La mère, Mme Durot :	Les enfants, vous êtes prêts ?
Louise, la fille :	Moi, je suis prête.
	Et toi, Cyril, tu es prêt ? Tu viens ?
Cyril, le fils :	Une minute ! J'arrive !
Louise :	Vite, nous sommes en retard :
	il est 8 heures 20 !
Cyril :	Je n'aime pas le lundi, ni le mardi...
Louise :	Ni le jeudi, ni le vendredi...
Cyril :	Mais j'aime bien le mercredi !
	Et aussi le samedi et le dimanche.
Louise :	Bien sûr, tu adores le mercredi et le dimanche : le matin,
	tu dors...
Cyril :	Toi aussi !
La mère :	Les enfants, il est 8 heures 25 !

VOCABULAIRE

- un fils, une fille
- le matin • dormir
- tu, toi • (être) en retard • vite • prêt, -e • ni... ni...

- les jours de la semaine : (le) lundi - (le) mardi - (le) mercredi - (le) jeudi - (le) vendredi - (le) samedi - (le) dimanche

MANIÈRES DE DIRE

- Il est 8 h(eures) 20 - il est 8 h 25   **Il est + heure**

◆ **Activité 1 - Il est... ? Faites comme dans l'exemple.**

Il est 8 h 25.   A. ....   B. ....   C. ....

1 ▪ Conjugaison : TU (2e personne du sing.)

Forme : tu viens - tu dors - tu es - tu adores
→ caractéristique générale de cette personne : le -s final

Verbes :	ÊTRE		ADORER (verbes en -er : 1er groupe)		VENIR		DORMIR
je	suis	j'	adore	je	viens	je	dors
tu	es	tu	adores	tu	viens	tu	dors
il/elle	est	il/elle	adore	il/elle	vient	il/elle	dort
nous	sommes	nous	adorons	nous	venons	nous	dormons
vous	êtes	vous	adorez	vous	venez	vous	dormez
ils/elles	sont	ils/elles	adorent	ils/elles	viennent	ils/elles	dorment

2 ▪ Opposition tu / vous

Louise : Tu viens, Cyril ?

La mère : Vous êtes prêts, les enfants ?
Louise : Oui.

Le père : Tu es prête, Louise ?
Louise : Oui. Et toi ?
Le père : Je suis prêt. Marie, tu viens ?
La mère : J'arrive.

 ◆ **Activité 2** – Écoutez et faites comme dans l'exemple.

Qui parle ?	A	B	C	D	E
1 - deux enfants					
2 - un adulte → un enfant					
3 - un enfant → un adulte	X				
4 - deux adultes, famille ou amis					
5 - deux adultes					

3 ▪ **La négation ne + verbe + pas… ni… ni…**
ou : ne + verbe + ni… ni… ni…

Cyril : Je n'aime pas le lundi, ni le mardi…
Louise : Ni le jeudi, ni le vendredi…

ou : Je n'aime ni le lundi, ni le mardi…

◆ **Activité 3**
Jeu de rôles, deux par deux.

Écoutez.

Lionel :	Je déteste le lundi !
Guillaume :	Pourquoi ?
Lionel :	Parce que je me lève tôt.
	Et je finis tard.
	Mais j'adore le mardi.
Guillaume :	Tu te lèves tard le mardi ?
Lionel :	Non, mais je commence
	par deux heures de gymnastique
	et l'après-midi, je finis à 4 heures.
Guillaume :	Tu as de la chance !
	Moi, je finis à 5 heures tous les jours !

VOCABULAIRE

- pourquoi • parce que   • tôt • tard
- commencer • finir   • se lever • l'après-midi • la gymnastique
- un jour

MANIÈRES DE DIRE

- Tu as de la chance !   avoir de la chance
- tous les jours = lundi, mardi, mercredi, jeudi, vendredi…

GRAMMAIRE

4 ▪ Conjugaison

AVOIR		FINIR (2ᵉ groupe)	
j'	ai	je	finis
tu	as	tu	finis
il/elle	a	il/elle	finit
nous	avons	nous	finissons
vous	avez	vous	finissez
ils/elles	ont	ils/elles	finissent

5 ▪ Les verbes pronominaux

SE LEVER			S'APPELER		
je	me	lève	je	m'	appelle
tu	te	lèves	tu	t'	appelles
il/elle	se	lève	il/elle	s'	appelle
nous	nous	levons	nous	nous	appelons
vous	vous	levez	vous	vous	appelez
ils/elles	se	lèvent	ils/elles	s'	appellent

◆ **Activité 4** – Complétez les phrases suivantes comme dans l'exemple, avec les verbes : s'appeler, se lever, se trouver.

Il .... Jérôme. → Il *s'appelle* Jérôme.

1 - Je .... à 7 heures.
2 - Nous .... Victor et Sophie Veyan.
3 - Tu .... comment ?
4 - Vous .... tard ?
5 - Le secrétariat .... au deuxième étage.
6 - Les caisses .... au fond, à droite.

GRAMMAIRE

6 ▪ **Interrogation sur la cause : Pourquoi ? → parce que**

Lionel :   Je déteste le lundi !
Guillaume :   **Pourquoi ?** = Pourquoi tu détestes le lundi ?
                        (Pourquoi détestes-tu le lundi ?)
Lionel :   **Parce que** je me lève tôt.

« Parce que » donne une explication, avec ou sans question :

Lionel :   Je déteste le lundi **parce que** je me lève tôt.

◆ **Activité 5** – Complétez comme dans l'exemple.

• Dans la Situation 1 :

     – *Pourquoi les enfants sont en retard ?*   – *Parce que Cyril n'est pas prêt.*

1 - Pourquoi Cyril n'est pas prêt ?   – ....
2 - .... ?   – Parce qu'il dort le matin.

• Dans la Situation 2 :

3 - Pourquoi Lionel déteste le lundi ?   – ....
4 - .... ?   – Parce qu'il commence par deux heures
                                         de gymnastique.

LEÇON 14
Métro, boulot, dodo !
SITUATION 1

Écoutez.

Julien :	Tiens ! Bonjour, Florence, ça va ?
Florence :	Ça va. Et toi ?
Julien :	Ça va. Je vais au bureau… Tu prends le métro ?
Florence :	Aujourd'hui, oui, mais… il y a beaucoup de monde !
Julien :	Eh oui ! c'est normal : à 8 heures et demie, les gens prennent le métro, à 9 heures, ils sont au travail. Tout le monde fait comme ça. Pas toi ?
Florence :	Non, moi d'habitude, je commence à 10 heures, mais le soir, je ne sors pas avant 7 heures. Et toi ?
Julien :	Le soir ? Je finis à 6 heures, je prends le métro et je rentre à la maison.
Florence :	Et après ? Qu'est-ce que tu fais ? Tu regardes la télé ?
Julien :	C'est ça ! Et après, je me couche. C'est : « Métro, boulot, dodo » !

VOCABULAIRE

- Tiens ! • rentrer • les gens • demi, -e • le travail • se coucher
- tout le monde • d'habitude • (c'est) normal • sortir • le soir • la télé
- avant • après • au = à + le

◆ **Activité 1** – Comparez les heures de travail de :

Julien (et de tout le monde)
Julien prend le métro à 8 heures et demie.
Il ………………………………………………

Florence (d'habitude)
Florence ………………………………………
Elle ……………………………………………

MANIÈRES DE DIRE

- Métro, boulot, dodo.
- Il y a beaucoup de monde !
- Tout le monde fait comme ça.   **Faire comme ça**
  – Pas toi ?

PRONONCIATION   Les liaisons avec « heure »

◆ **Activité 2 – Écoutez et répétez.**

● une heure, deux heures, quatre heures, cinq heures, sept heures, neuf heures, douze heures.
● L'après-midi, je finis à quatre heures. – Moi, je finis à cinq heures.
● Le soir, je sors à sept heures. ● Il est huit heures vingt.

GRAMMAIRE

1 ▪ Conjugaison

FAIRE		SORTIR		PRENDRE	
je	fais	je	sors	je	prends
tu	fais	tu	sors	tu	prends
il/elle	fait	il/elle	sort	il/elle	prend
nous	faisons	nous	sortons	nous	prenons
vous	faites	vous	sortez	vous	prenez
ils/elles	font	ils/elles	sortent	ils/elles	prennent

Attention au verbe faire :
– aux 2e et 3e personnes du pluriel : vous **faites** et ils/elles **font**.
– à la **prononciation** de la 1re personne du pluriel : nous **faisons** (fai- = [ʃə]).

2 ▪ **Le tutoiement entre amis ou souvent entre collègues de travail.**

a ● Florence : Ça va. **Et toi ?**
Julien :   Ça va. Je vais au bureau… **Tu prends** le métro ?

MAIS :

b ● (leçon 10) Jean : Pardon, **madame**, où est le rayon crèmerie, s'il **vous** plaît ?
La vendeuse : Devant **vous**, après le rayon charcuterie.

c ● (leçon 8) Léo : Qu'est-ce que **vous** voulez, Bénédicte ?

    Deux adultes peuvent se tutoyer ou se vouvoyer.

◆ **Activité 3 – Jeux de rôles.**

Vous êtes dans un café avec un(e) ami(e) et vous commandez une boisson. À vous !

Écoutez.

Lucie :	Ah ! Bonjour, Guillaume.
	Comment vas-tu ? Tu sors de l'école ?
Guillaume :	Non, je vais au supermarché…
	Je fais les courses pour le déjeuner.
Lucie :	C'est vrai ! Toi, le mercredi,
	tu ne vas pas à l'école !
Guillaume :	Mais maman travaille le mercredi matin :
	elle sort du bureau à midi et demi.
Lucie :	Et toi, tu prépares le déjeuner ? C'est bien !
Guillaume :	Oui, on mange ensemble.
	Vous prenez le bus ? Il arrive. (…) Attention aux portes !
Lucie :	Au revoir.
Guillaume :	Au revoir.

VOCABULAIRE

• une école • on (= nous) • de (origine) • préparer • un bus • attention !
• ensemble • midi • le déjeuner • manger • c'est vrai

MANIÈRES DE DIRE

• Maman travaille le mercredi matin = tous les mercredis matin.

GRAMMAIRE

3 ▪ Conjugaison (2) ALLER :

je	vais	nous	allons
tu	vas	vous	allez
il/elle	va	ils/elles	vont

4 ▪ Les articles contractés : au, aux ; du, des

situation 1 :	Je vais **au** bureau.	MAIS : Tu ne vas pas à l'école.
	Ils sont **au** travail.	Ils vont à l'appartement.
situation 2 :	Elle sort **du** bureau.	Les voisins sortent de l'immeuble.
	Attention **aux** portes !	

et aussi : Les gens sortent **des** immeubles.

à	+	le	=	au	MAIS : à l' + voyelle
de	+	le	=	du	de l' + voyelle
à	+	les	=	aux	
de	+	les	=	des	

◆ **Activité 4 – Complétez avec au, aux, du ou des, comme dans l'exemple.**

Midi, c'est l'heure .... déjeuner. → *l'heure du déjeuner*

1 - C'est le bureau .... inscriptions.

2 - L'accueil est .... bâtiment B.

3 - Ils sortent ...... métro.

4 - Vous tournez à gauche ...... carrefour.

GRAMMAIRE

5 ▪ ON = NOUS

Guillaume : ... Maman travaille le mercredi matin : elle sort du bureau à midi et demi et **on** mange ensemble (= et **nous** mangeons ensemble).

Dans la langue parlée, très souvent le pronom « on » (3ᵉ personne du singulier) remplace « nous » (1ʳᵉ personne du pluriel).

On = nous (pluriel), mais le verbe reste au singulier.

6 ▪ TU et VOUS

Lucie : C'est vrai ! Toi, le mercredi, tu ne vas pas à l'école !

Guillaume : Vous prenez le bus ? Il arrive. ... Attention aux portes !

un adulte à un enfant : « tu » - à un jeune : « tu » ou « vous »
un enfant ou un jeune à un adulte : en général « vous »

◆ **Activité 5 – Jeu de rôles.**

Louise et Marie sont dans la même école et sont amies.
Anna Roux et Gérard Legrand travaillent dans le même bureau..

1. Louise va chez Marie : discussion entre les différentes personnes de la famille et Marie. Attention à l'emploi du tutoiement et du vouvoiement !

Famille
LEGRAND

2. Mme Legrand invite à déjeuner Mme Roux avec sa famille.

Famille
ROUX

LEÇON 15
L'hiver, c'est dur !

SITUATION 1

Écoutez.

La journaliste :	Monsieur Lebrun, c'est dur, la vie des cultivateurs ?
M. Lebrun :	Oui, l'été surtout. On est dans les champs du matin au soir. On se lève à cinq heures et on se couche à dix ou onze heures. Et ici, il fait très chaud l'été !
La journaliste :	Qu'est-ce que vous cultivez ?
M. Lebrun :	Le blé. La vigne aussi. En octobre, on fait les vendanges. C'est dur, aussi. Il pleut souvent, en Alsace.
La journaliste :	Et l'hiver ? En hiver, il fait froid mais c'est tranquille ?
M. Lebrun :	C'est tranquille mais il y a les bêtes. Il y a toujours quelque chose à faire, à la campagne.

VOCABULAIRE

• un cultivateur   • les bêtes   • les vendanges

les saisons :

• le printemps   • l'été   • l'automne   • l'hiver

• tranquille • un champ • le blé • la vigne • cultiver • pleuvoir • quelque chose
• la campagne • octobre

MANIÈRES DE DIRE

• du matin au soir • c'est dur !
• L'été (en été), il fait chaud. L'hiver (en hiver), il fait froid.
• Il y a toujours quelque chose à faire, à la campagne !

1 ▪ Pour parler du temps (la météo), on utilise le IL impersonnel (neutre).
(Rappel : Pour indiquer l'heure : il est neuf heures, il est midi..., voir leçon 13.)

Il fait chaud, il fait 40°.

Il fait beau.

Il fait froid, il fait 0°.

Il pleut.

Attention !   • Avec IL, le verbe est toujours au singulier.

              • Pour parler du temps, dites :   il fait chaud, il fait froid
                                    et non :   c'est chaud, c'est froid.

2 ▪ ON = les gens, en général

     En Alsace, on cultive la vigne.
     Au Brésil, on parle portugais et en Bolivie, on parle espagnol.

Attention ! Avec ON, le verbe est toujours à la 3ᵉ personne du singulier.

◆ **Activité 1** – Écoutez à nouveau le dialogue de la Situation 1.
Répondez par Vrai, Faux ou Je ne sais pas.

	Vrai	Faux	Je ne sais pas
L'été, les cultivateurs se lèvent tôt.	X		
M. Lebrun est très grand.			X
M. Lebrun habite à Paris.		X	
1 - En Alsace, on fait les vendanges en novembre.			
2 - L'hiver, il fait froid.			
3 - M. Lebrun cultive le blé et la vigne.			
4 - M. Lebrun a des enfants.			
5 - La vie du cultivateur est dure, surtout l'été.			
6 - M. Lebrun a des bêtes.			

SITUATION 2

Écoutez.

Stan :	Sophie, tu fais les vendanges, cette année ?
Sophie :	Oui, je vais en Bourgogne, près de Dijon. Et toi ?
Stan :	Non, cette année, j'ai un examen à passer en octobre.
Sophie :	Et toi, Anne ?
Anne :	Hum... les vendanges, c'est très dur, non ? Il pleut, il fait froid...
Sophie :	Mais non, en octobre, il fait beau et la Bourgogne, c'est très joli. C'est fatigant mais c'est amusant, les vendanges ! Il y a toujours des gens intéressants.

VOCABULAIRE

- fatigant, -e • intéressant, -e
- amusant, -e

MANIÈRES DE DIRE

- J'ai un examen à passer.

◆ **Activité 2 – « On » ou « les gens » ? Complétez.**

Rappel : les gens = toujours pluriel   En France, les gens aiment le fromage.
       on = toujours singulier   En France, on aime le fromage.

En Angleterre, les gens prennent le thé à cinq heures.

1 - En France, ... aiment le vin.

2 - D'habitude, ... n'aime pas se lever tôt.

3 - .... sont dans les champs à six heures
du matin.

4 - En Espagne, ... mange tard.

5 - À la campagne, ... se lève tôt, l'été.

PRONONCIATION   Le son (ã)

◆ **Activité 3 – Écoutez. Cochez si vous entendez le son (ã).**

- Phrase 1 ☐
- Phrase 2 ☐
- Phrase 3 ☐
- Phrase 4 ☐
- Phrase 5 ☐
- Phrase 6 ☐
- Phrase 7 ☐
- Phrase 8 ☐

◆ **Activité 4**

Sur la carte de France, cherchez où se trouvent l'Alsace et la Bourgogne. Écrivez :

– le nom de deux villes en Bourgogne :   ....
                              ....
– le nom de deux villes en Alsace :   ....
                              ....

GRAMMAIRE

3 ▪ **Rappel : C'est + adjectif** (voir leçon 11)

La Bourgogne, c'est joli !
Le printemps, c'est joli !
Les vendanges, c'est amusant !

Dans <u>c'est</u>, le <u>c'</u> est neutre et le verbe est au singulier.

◆ **Activité 5** – Complétez, comme dans l'exemple, avec : beau, bon, cher, intéressant, amusant, chaud, grand, petit, facile, dur, joli...

La mer, c'est beau.

1 - Les États-Unis, c'est ....   4 - Le français, c'est ....

2 - L'Italie, c'est ....   5 - Les vendanges, c'est ....

3 - Le musée du Louvre, c'est ....   6 - La vie des cultivateurs, c'est ....

GRAMMAIRE

4 ▪ **Avoir + nom + à + infinitif**

J'ai un examen à passer. - Il a un travail à faire.

◆ **Activité 6** – Faites comme dans l'exemple (plusieurs possibilités).

M. Lebrun ⟶ *ont* ⟶ *un exercice à finir.*
Les étudiants ⟶ *a* ⟶ *les vendanges à faire.*

1 - Les étudiants   avez   les vendanges à finir.

2 - Vous   ont   une leçon à apprendre.

3 - Tu   a   des courses à faire.

4 - M. Lebrun   as   un examen à passer.

◆ **Activité 7** – Regardez la carte météo. Reliez comme dans l'exemple.

1 - À Toulouse,   il pleut, mais il ne fait pas froid (21°).

2 - À Paris,   il fait beau et chaud (26°).

3 - À Dijon,   il y a des nuages, mais il fait chaud (22°).

4 - À Brest,   il y a un peu de soleil, il fait 24°.

5 - À Marseille,   il pleut et il fait froid (15°).

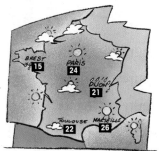

LEÇON 16
Enfin les vacances !
SITUATION 1

Écoutez.

Élisa : Allô, Anne ? Bonjour, c'est Élisa.

Anne : Élisa ! Où es-tu ?

Élisa : Au bureau.

Anne : Encore ! Mais il est presque 8 heures !

Élisa : Tu sais, ici, on travaille plus tard
qu'en France, et on dîne à 10 ou 11 heures.

Anne : Mais vous faites la sieste l'après-midi.
Alors, il fait beau à Séville ?

Élisa : Oui, 35° aujourd'hui.

Anne : Tu as de la chance ! À Paris, il fait moins chaud : 22°.
Et il pleut !

Élisa : Vous arrivez quand ?

Anne : On part dimanche. Et on arrive à Séville lundi soir.

Élisa : Super ! À bientôt !

Anne : Oui. Enfin les vacances !

VOCABULAIRE

- enfin • dîner • encore • presque • plus • moins • faire la sieste
- 35 degrés (35°) • quand • les vacances

MANIÈRES DE DIRE

- Tu sais • Super ! • À bientôt !

◆ **Activité 1 - Complétez. Faites comme dans l'exemple.**

	En Espagne		En France
à 1 heure	on travaille		*on déjeune*
à 2 heures	on déjeune		....
à 3 heures	....		on travaille
à 7 heures et demie ou à 8 heures	....		on dîne
à 10 ou 11 heures	....		....

PRONONCIATION   Le son (ʀ) en finale (1)

◆ **Activité 2 – Écoutez et répétez.**

Il est tard.	Elle sort tard.	Le soir, elle sort tard.
Elle part.	Elle part à la gare.	Elle part à la gare du Nord.

GRAMMAIRE

> 1 ▪ **Les comparatifs :** plus   +   **adjectif** ou **adverbe**   +   que
>   moins   +   **adjectif** ou **adverbe**   +   que
>
> En France, on dîne   **plus** tôt qu'en Espagne.
>   **moins** tard qu'en Espagne.
>
> À Paris, il fait   **moins** chaud qu'à Séville.
>   **plus** froid qu'à Séville.

◆ **Activité 3 – Faites comme dans l'exemple.**

Paola : 19 ans - Elisa : 23 ans → Paola est plus jeune qu'Elisa.

1 - Paola : 1,60 m - Elisa : 1,73 m
Paola est .... grande .... Elisa.

2 - Paris : 19° - Madrid : 21°
À Paris, il fait .... chaud .... Madrid.

3 - À Paris : tour Eiffel : 320 m - dôme des Invalides : 105 m
Le dôme des Invalides est .... haut .... la tour Eiffel.

4 - À Paris : le Pont-Neuf : 1604 - le Pont-Royal : 1632
Le Pont-Neuf est .... ancien .... le Pont-Royal.

GRAMMAIRE

> 2 ▪ **Rappel :** on = les gens
>   on = nous

◆ **Activité 4 – « On » = « nous » ou « les gens » ? Faites comme dans les exemples.**

Si tu veux, ce soir, on dîne au restaurant.   *(on dîne = nous dînons)*
Au Pérou, on parle espagnol   *(on parle = les gens parlent)*

1 - Martine et moi, ce soir, on dîne avec des amis japonais. (on dîne = ...)

2 - On part lundi matin, à huit heures. D'accord ?   (on part = ...)

3 - En France, on aime beaucoup le fromage.   (on aime = ...)

4 - Quand je suis à Séville, chez Elisa, on sort le soir.   (on sort = ...)

Écoutez.

Bonjour. Nous sommes le 1er décembre.
Voici le bulletin météo.
Alors, le temps en Europe aujourd'hui.
D'abord, le Nord. En Allemagne et en France, il pleut.
Température : 5° à Berlin, 11° à Paris.
En Suède et au Danemark, il neige. Température : de 0 à 3°.
Dans le Sud, en Espagne et au Portugal, il y a des nuages.
Température : entre 5 et 16°.
En Italie, la température est basse pour la saison : il fait 3° au nord, 13° au sud.
Mais en Grèce, il y a un beau soleil
et la température est très élevée pour la saison : 19° à Athènes.

VOCABULAIRE

- un bulletin météo(rologique) • le Nord • le Sud • le temps • il neige • un nuage
- la température • élevé(e) • bas, basse • le soleil

MANIÈRES DE DIRE

- Nous sommes le 1er décembre. • Température : de 5 à 16° *ou* entre 5 et 16°.

◆ **Activité 5 - Regardez la carte météo. Faites comme dans l'exemple.**

À Paris, il pleut. Il fait 11°.

1 - À Berlin, ...
2 - À Rome, ...
3 - À Stockholm, ...
4 - À Athènes, ...
5 - À Madrid, ...

PRONONCIATION Le son (ʀ) en finale (2)

◆ **Activité 6 - Comment écrire le son (ʀ) en finale. Lisez et recopiez.**

1 - Le mot se termine par -*r* :
- venir - sortir - courir - bonjour -
au revoir - un professeur

2 - Le mot se termine par un -*e* muet :
- octobre - décembre - une chambre -
prendre
- un anniversaire - une gare - lire - faire

3 - Le mot se termine par une **consonne** :
- un -*d* : d'accord - tard - le Nord -
d'abord
- un -*t* : il sort - il dort
- un -*s* : je sors - je dors

GRAMMAIRE

3 ▪ **Les noms de pays**

a • En général, ils ont un article : le, l', la ou les. Par exemple :

la Chine	l'Indonésie	le Japon	les États-Unis
la Grèce	l'Espagne	le Vietnam	les Pays-Bas
la Thaïlande	l'Allemagne	le Brésil	les Émirats arabes unis
la Corée	l'Iran	le Mexique	

En général, les noms terminés par -e sont féminins :
L'Allemagne est belle, l'Iran est beau.

Attention ! Cuba, Singapour, Malte, Chypre... : pas d'article.

b • Attention à la préposition :

la Thaïlande	→ Je vais **en** Thaïlande, j'habite **en** Thaïlande.
l'Italie	→ Je vais **en** Italie, j'habite **en** Italie.
le Japon	→ Je vais **au** Japon, j'habite **au** Japon.
les États-Unis	→ Je vais **aux** États-Unis, j'habite **aux** États-Unis.
Malte	→ Je vais **à** Malte, j'habite **à** Malte.

◆ **Activité 7 - Complétez comme dans l'exemple.**

Je vais au Brésil cet été. Vous connaissez le Brésil ?

1 - En avril, Anne et Éric partent .... Japon. Ils aiment les voyages : ils connaissent déjà .... Chine, ... Indonésie, ... Corée et .... Singapour.

2 - Qu'est-ce que vous préférez ? Passer un mois .... Espagne ou deux semaines .... États-Unis ?

3 - Je voudrais aller cet été .... Pays-Bas ou .... Allemagne. Et vous ?
   – Moi, je voudrais habiter un an .... Espagne, ... Mexique ou .... Cuba pour apprendre l'espagnol.

◆ **Activité 8 - Jeu de rôles.**

Vous avez un mois de vacances. Où allez-vous ?
Vous parlez avec des amis.

BILAN et STRATÉGIES

A - MAINTENANT, VOUS SAVEZ...

1 Utiliser le TU et le VOUS

Regardez :

– Bonjour, Thomas. Comment vas-tu ?
– Bonjour, madame, ça va bien. Vous allez
   au supermarché ?
– Oui. Et toi, tu ne vas pas à l'école ?
– Non, c'est mercredi, aujourd'hui.

Les adultes disent TU :

– **aux enfants**
– **aux personnes de la famille**
– **aux très bons amis**

Les jeunes disent TU :

– **aux autres jeunes**
– **aux personnes de la famille**

◆ **Activité 1** – Reliez un dialogue
   à l'image.

1 • – Pierre, bonjour. Où vas-tu ?
     – Au cinéma. Tu viens avec moi ?
     – D'accord.

2 • – S'il vous plaît, je cherche la gare de
       Lyon.
     – Vous prenez la deuxième rue à
       droite.
     – Merci, monsieur.

3 • – Alors, Patrick, tu es prêt ? Ça y est ?
     – Non, maman, une minute.

◆ **Activité 2** – Écoutez. La personne
   qui parle utilise TU ou VOUS ?
   Faites comme dans l'exemple.

	TU	VOUS
Exemple	X	
1 •		
2 •		
3 •		

2 Utiliser les verbes impersonnels

Il fait beau, **il** fait chaud dans le Sud.
Il fait froid et **il** pleut à Lille.

Il y a un grand soleil à Nice.
Il y a des nuages en Bretagne.

**Dans la phrase impersonnelle,
le verbe est toujours au singulier.**

3 Utiliser ON

Regardez :

1 • Maria et moi, **on va** au cinéma.
     Tu viens avec nous ? (on = **nous**)

2 • En Italie, **on mange** des pâtes
     tous les jours. (on = **les gens**)

3 • **On demande** monsieur Darcet
     au téléphone. (on = **quelqu'un**)

ON est toujours à la 3e personne

◆ **Activité 3 -** Dans les phrases suivantes, quel est le sens de ON ?
Faites comme dans l'exemple.

	Nous	Les gens	Quelqu'un
Tu viens ? On sort ce soir.	X		

1 • Vous entendez ? On appelle Anna.

2 • On parle quelle langue au Brésil ?

3 • On va à Paris en mai.

B - COMMENT FAIRE ?

1 En classe : se repérer dans un emploi du temps

Programme de français du lundi 4 avril

matin :	9 h - 10 h	Cours de grammaire française
	10 h - 11 h	Cours de phonétique
	11 h - 1 h	Film (Jean-Luc Godard)
après-midi :	1 h	Déjeuner
	3 h - 5 h	Atelier de civilisation (la campagne française)

→ On commence à 9 heures avec un cours de grammaire ; ensuite il y a un cours de phonétique et enfin, on regarde un film de Godard. Après le déjeuner, il y a un atelier de civilisation sur la campagne française. La journée se termine à 5 heures.

ou

→ Avant le film de Godard, il y a un cours de grammaire et un cours de phonétique. Après le film, on déjeune. Ensuite, on va à l'atelier de civilisation. On parle de la campagne française.

ALLÔ...!

2 Avec les Français : prendre rendez-vous avec quelqu'un

– Allô ? je voudrais un rendez–vous avec le docteur Vernant, s'il vous plaît.
– Oui, c'est de la part de qui ?
– De la part de Sonia Maillard.
– Mardi, à 14 heures, ça va ?
– Très bien, merci. À mardi.

VOCABULAIRE

• les pâtes (n.f.) • un cours

LEÇON 17
On va au cinéma ?

―――――― SITUATION 1 ――――――

Écoutez.

Juliette : J'ai envie de sortir ce soir, mais tu as l'air fatigué…

Clément : Non, ça va. Qu'est-ce que tu veux faire ?

Juliette : On va au cinéma ?

Clément : D'accord. On va voir quel film ?

Juliette : Je ne sais pas. Un film d'amour ou d'aventures…

Clément : À quelle heure ? Tout de suite ?

Juliette : Oui. On achète *L'Officiel des spectacles*, on prend le métro
et on va à… Saint-Germain-des-Prés.
(…)

Juliette : Regarde ! Ce film a l'air intéressant…

Clément : Il passe dans quelles salles ?

VOCABULAIRE

- savoir • l'amour • l'aventure • acheter • une salle • un film • tout de suite
- sortir (= aller au cinéma, au restaurant…) • fatigué, -e • quel, quelle… ?

◆ **Activité 1 – Écoutez et cochez la bonne réponse.**

1 - a ☐	2 - a ☐	3 - a ☐	4 - a ☐
b ☐	b ☐	b ☐	b ☐
c ☐	c ☐	c ☐	c ☐

MANIÈRES DE DIRE

- Tu as l'air fatigué.
- J'ai envie de sortir ce soir…
- Ce film passe… = On passe ce film…

avoir l'air + adjectif
avoir envie de + infinitif

◆ **Activité 2 – À vous ! Complétez avec :**
fatigant, fatigué, délicieux, ancien.

1 - Ce gâteau a l'air ………

3 - Cette photo a l'air …………

2 - Ça a l'air ………………

4 - Ils ont l'air ………………

GRAMMAIRE

1 ▪ Conjugaison

   a • VOULOIR

je	veux	nous	voulons
tu	veux	vous	voulez
il/elle/on	veut	ils/elles	veulent

   b • L'impératif   Verbes en -ER

     1) Sophie : **Regarde !** Ce film a l'air intéressant…   regarde
                                                                                    regardons
     2) Les consignes : **écoutez** et **répondez** ; **répétez**…   regardez

L'impératif n'a pas de pronom sujet exprimé.
Il a 3 personnes : 1ʳᵉ du singulier (tu), 1ʳᵉ du pluriel (nous) et 2ᵉ du pluriel (vous).
Il sert à donner des ordres.

2 ▪ L'adjectif interrogatif : **quel, quelle, quels, quelles** (+ nom) ?

   – On va voir **quel** film ?
   – À **quelle** heure ?
   – Il passe dans **quelles** salles ?

C'est **un adjectif.** Il se place toujours avant le nom.

nom **masculin** ⎫ singulier :	quel film ?	pluriel :	quels films ?
nom **féminin** ⎭	quelle salle ?		quelles salles ?

 ◆ **Activité 3 – Écoutez les réponses et trouvez une question possible comme dans l'exemple.**

Tu préfères quelle saison ?

1 - ....
2 - ....
3 - ....

GRAMMAIRE

3 ▪ **Rappel : on = nous**

On va au cinéma ?
On achète *L'Officiel des spectacles,*
on prend le métro et on va à… Saint-Germain-des-Prés.

on = Juliette + Clément = nous

◆ **Activité 4 – Dans la Situation 1, remplacez « on » par « nous ».**

Écoutez.

David : J'ai rendez-vous avec Nadine
et Laure à sept heures et demie ;
on va au cinéma. Tu viens avec nous ?

Jean : Je veux bien, mais j'ai peur
d'être en retard : j'ai une course à faire.
Quelle heure est-il ?

David : Six heures moins le quart.

Jean : À quelle heure est la séance ?

David : Attends… Séances à : 14 h,
16 h 10, 18 h 20, 20 h 30…
Voilà ! Film : 15 minutes après.
On se retrouve à 8 heures et quart
devant le cinéma. Ça va ?

Jean : D'accord. À 8 heures et quart !

David : Salut, à tout à l'heure.

VOCABULAIRE

• un quart • attends (attendre) • avoir peur de • une séance • se retrouver
• à (heures) moins…

MANIÈRES DE DIRE

• Je veux bien = d'accord • À tout à l'heure ! • Salut = au revoir

PRONONCIATION   L'intonation pour faire des propositions

◆ Activité 5 – Écoutez et répétez.

• On va au cinéma ?
• Je ne sais pas. Un film d'amour ou d'aventures…
• Regarde ! Ce film a l'air intéressant…
• On se retrouve à 8 heures et quart devant le cinéma. Ça va ?

GRAMMAIRE

4 ▪ Conjugaison   Impératif d'ATTENDRE :   attends
                                                     attendons
                                                     attendez

◆ **Activité 6** – Quels sont les verbes à l'impératif dans les consignes ? Cherchez-les et écrivez-les.

◆ **Activité 7** – L'heure. Écoutez et regardez.

<table>
<tr><td align="center">Heure familière</td><td align="center">Heure officielle</td></tr>
</table>

À 8 heures et **demie** les gens prennent le métro, à 9 heures ils sont au travail.

Le matin, l'école commence à **8 h 30** et finit à **11 h 30**.

Maman travaille le mercredi matin : elle sort du bureau à **midi et demi**.

« Il est **12 h 30** : la météo de l'après-midi. »

Jean :   Quelle heure est-il ?
David : **6 heures moins le quart**.

David :   Séance à **18 h 20**…

On se retrouve à **8 heures et quart** devant le cinéma.

… et à **20 h 30**…

J'ai rendez-vous avec Nadine et Laure à **7 heures et demie**.

… le film est à **20 h 45**.

◆ **Activité 8** – Jeu de rôles.

1 - Qu'est-ce que vous voulez voir ?
Vous discutez avec un(e) ami(e) ou des amis, et vous vous donnez rendez-vous avant le spectacle (10 minutes, un quart d'heure, etc.).

2 - Vous achetez les billets…

LEÇON 18
Ce soir, je dîne chez ma sœur
SITUATION 1

 Écoutez.

Marco : Sophie, regarde ! J'ai deux places
pour *Faust*, à l'Opéra.

Sophie : Je suis désolée, je ne peux pas.
Ce soir, je dîne chez ma sœur.

Marco : Oh non ! Tu ne peux pas téléphoner
à ta sœur et...

Sophie : Impossible ! C'est son anniversaire.
Mes parents et mon frère
viennent aussi.

Marco : C'est dommage !

Sophie : Oui. Tu peux changer tes places ?

Marco : Non, je ne pense pas. Tant pis !

Sophie : Marco, excuse-moi, tu connais ma famille !
Tu peux inviter ton amie Patricia. Ou ta sœur Claire, peut-être ?

Marco : Oui, peut-être. Je peux appeler Claire.

VOCABULAIRE

• une place • chez • mon, ma, mes • pouvoir • connaître • impossible • un frère
• une sœur • les parents • inviter • changer • un(e) ami(e) • désolé,-e • s'excuser
• dommage • peut-être • téléphoner • appeler quelqu'un (au téléphone)

MANIÈRES DE DIRE

• je suis désolé • excuse-moi • c'est dommage • tant pis ! • je ne pense pas

PRONONCIATION   Le son (ø)

 ◆ **Activité 1 - Écoutez et répétez.**

1 - Il pleut - deux - les yeux - les cheveux
- une chanteuse

2 - Elle a les cheveux blonds.

3 - Il a les yeux bleus.

4 - J'ai deux places. Tu peux venir ?

5 - Non, je ne peux pas.

Attention à la différence entre le son [ø] et le son [e]. J'ai deux amis. / J'ai des amis.

◆ **Activité 2 - Écoutez. Cochez ce que vous entendez.**

1 - a. Il a des places pour l'Opéra. ☐   3 - a. Je vais sortir. ☐
    b. Il a deux places pour l'Opéra. ☐   b. Je veux sortir. ☐

2 - a. Je voudrais des gâteaux. ☐   4 - a. Ce soir, je vais danser. ☐
    b. Je voudrais deux gâteaux. ☐   b. Ce soir, je veux danser. ☐

GRAMMAIRE

1 ▪ **Conjugaison :** POUVOIR (rappel : VOULOIR, leçon 17)

je	peux	nous	pouvons
tu	peux	vous	pouvez
il/elle/on	peut	ils/elles	peuvent

2 ▪ **Construction : vouloir / pouvoir + verbe infinitif**

– Tu **peux** venir, ce soir ?
– Oui, je **veux** bien venir.
Elle ne **peut** pas **aller** à l'Opéra.
Il **peut inviter** sa sœur Claire.
Il ne **veut** pas **inviter** Patricia.

3 ▪ **Les possessifs :**
   mon, ton, son / ma, ta, sa - mes, tes, ses

Ce soir, je dîne chez   **mon** frère (le frère).
                          ma sœur (la sœur).
                          mes parents (les parents).

Tu peux inviter   **ton** frère.   Elle invite   **son** frère.
                    ta sœur.   **sa** sœur.
                    tes parents.   **ses** parents.

Attention ! Regardez :

un voisin → C'est **mon** voisin.   un ami → C'est **mon** ami.

                          MAIS

une voisine → C'est **ma** voisine.   une amie → C'est **mon** amie.

Si le mot féminin commence par une voyelle (une amie, une école, une adresse...) :

ma → mon   C'est **mon** amie Laura.
ta → ton   Tu aimes **ton** école ?
sa → son   C'est **son** adresse.

◆ **Activité 3 - Cochez la bonne réponse et complétez comme dans l'exemple.**

	mon	ma	mes
Je vous présente Noriko, ma voisine.		X	
1 - Vous connaissez ..... fille Elsa ?			
2 - Lisa et Claire sont ..... cousines.			
3 - Ce soir, je dîne chez ..... frère.			
4 - Je ne sais pas où est ..... livre.			

SITUATION 2

Écoutez.

Marco :	Allô, Claire ? Salut, c'est moi, Marco. Tu es libre, ce soir ?
Claire :	Euh... oui. Pourquoi ?
Marco :	J'ai deux places pour *Faust*.
Claire :	À l'Opéra-Bastille ? Super ! Mais... Et Sophie ?
Marco :	Elle ne veut pas venir.
Claire :	Elle ne veut pas venir ! Vous êtes fâchés ?
Marco :	Mais non ! Elle va dîner chez **sa** sœur, avec **son** frère et **ses** parents.
Claire :	Ah bon ! Alors, elle ne **peut** pas venir ! Bon. C'est à quelle heure ?
Marco :	Sept heures et demie.
Claire :	Alors, rendez-vous à sept heures devant l'Opéra.
Marco :	D'accord. À ce soir ! Salut !

VOCABULAIRE

- être libre • être fâché

MANIÈRES DE DIRE

- Rendez-vous à sept heures.
- À ce soir.
- Rappel : Salut !
  (= bonjour ou au revoir entre amis)

◆ **Activité 4 – Vrai - Faux - Je ne sais pas ?**
Cochez la bonne réponse comme dans l'exemple.

	Vrai	Faux	Je ne sais pas
Claire et Sophie sont les sœurs de Marco.		X	
1 - Sophie n'aime pas beaucoup l'Opéra.			
2 - Claire est la sœur de Marco.			
3 - L'opéra est à 19 h 30.			

PRONONCIATION   Le son (œ) : l'opposition (œ)/(ø)

◆ **Activité 5 – Écoutez et répétez.**

1 - le son [ø] : deux - bleu - un peu - il pleut - je veux - je peux - une chanteuse
2 - le son [œ] : l'heure - la sœur - un acteur - un chanteur - un danseur
3 - Il est deux heures.
4 - Sa sœur est chanteuse.

◆ **Activité 6** – Vous entendez [ø] ou [œ] ?
   Cochez ce que vous entendez comme dans l'exemple.

	[ø]	[œ]
Exemple		X
1 -		
2 -		
3 -		

◆ **Activité 7** – Mettez dans l'ordre comme dans l'exemple.

   téléphoner / va / à Claire / il —> Il va téléphoner à Claire.

   1 - Patricia / ne / il / pas / veut / inviter / à l'Opéra → ....

   2 - pas / ses / changer / ne / Marco / peut / places → ....

   3 - pas / Sophie / peut / à l'Opéra / ne / venir → ....

◆ **Activité 8**

Vous ne connaissez pas ma Gudule ? C'est dommage !

Ah ma Gudule, j'aime tout chez toi :

J'aime

  tes yeux,   ta bouche,   tes cheveux,   ton sourire...

Complétez à votre idée (cherchez dans votre dictionnaire).

Elle a les yeux bleus comme ...., les cheveux noirs comme ....,
la bouche rouge comme ...., les dents blanches comme ....

◆ **Activité 9**

Voici **ma** famille : **ma** femme,

mes deux filles

mes trois fils,

mon chien Pomme.

Avec une photo, présentez votre famille.

LEÇON 19
Chez moi, ce n'est pas très grand !
SITUATION 1

Écoutez.

Mireille : Tu es libre samedi soir ?

Nina : Attends… Euh, j'ai rendez-vous avec Lionel. Pourquoi ?

Mireille : Nous fêtons notre réussite aux examens, ma sœur et moi.
Viens avec Lionel.

Nina : Ah ! Super ! Et votre fête, ça se passe où ? Chez vos parents ?

Mireille : Chez nos parents ? Non !

Nina : Pourquoi ? C'est grand, chez eux…

Mireille : Oui, leur maison est grande, mais c'est loin.

Nina : Vous invitez beaucoup de monde ?

Mireille : Six ou sept personnes.
Chez moi, ce n'est pas très grand !

Nina : À quelle heure il faut venir ?

Mireille : Vers huit heures et demie.

Nina : Ça va. Notre rendez-vous est à sept heures
et demie.

Mireille : Alors, c'est d'accord ?
Vous venez ?

Nina : Oui, bien sûr, à samedi !

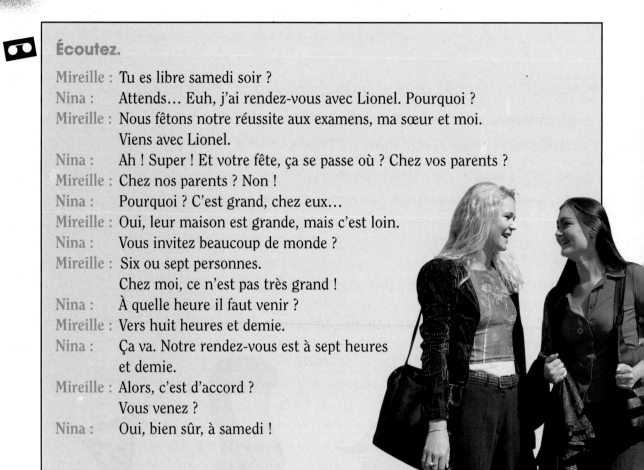

◆ **Activité 1 - Écoutez et cochez la bonne réponse.**

1 - ☐ Oui, elle est libre.   2 - ☐ Chez Mireille.   3 - ☐ À 7 heures et demie.
☐ Non, elle travaille.   ☐ Chez sa sœur.   ☐ À 8 heures.
☐ Oui, avec Lionel.   ☐ Chez leurs parents.   ☐ Vers 20 h 30.

VOCABULAIRE

• une réussite • une fête • il faut + infinitif (falloir) • fêter • notre, nos • votre, vos
• leur, leurs • vers (+ heure) • chez + pronom • eux • inviter

MANIÈRES DE DIRE

• Et votre fête, ça se passe où ?   – Ça se passe chez moi.   • bien sûr

PRONONCIATION Liaisons

◆ **Activité 2 – Écoutez et répétez.**

- Nous fêtons notre réussite aux examens.
- Vous invitez beaucoup de monde ? – Six ou sept personnes.
- Vous arrivez quand ? – Vers huit heures et demie.
- Rendez-vous à sept heures et demie.

GRAMMAIRE

1 ▪ Conjugaison

  a • Impératif de VENIR : viens
                            venons
                            venez

  b • Verbe impersonnel : FALLOIR → il faut + infinitif

                           À quelle heure il faut venir ?

                           → toujours à la troisième personne : « il »

2 ▪ Les adjectifs possessifs (2) : notre, votre, leur - nos, vos, leurs

  – Nous fêtons **notre** réussite aux examens, ma sœur et moi.
  – Et **votre** fête, ça se passe où ? Chez **vos** parents ?
  – Chez **nos** parents ? Non ! **Leur** maison est grande, mais **leurs** voisins n'aiment pas les fêtes.

  Notre rendez-vous est à sept heures et demie…

	nous	vous	ils/elles
+ nom singulier			
masculin	notre rendez-vous	votre fils	leur appartement
féminin	notre réussite	votre fête	leur maison
+ nom pluriel			
masculin	nos parents	vos parents	leurs voisins
féminin	nos filles	vos filles	leurs voitures

3 ▪ CHEZ + moi, toi, lui, elle, nous, vous, eux, elles

  • … Et votre fête, ça se passe où ? – **Chez moi.**
  • Pierre est **chez lui** ? – Non, il travaille avec Nadine ; ils sont **chez elle.**
  • … ça se passe où ? Chez vos parents ? – **Chez eux** ? Non, **chez nous.**

Écoutez.

Françoise : Qu'est-ce qu'on fait demain ?

Luc : Je ne sais pas… Nous pourrions voir la nouvelle exposition au Grand Palais.

Akiko : Oh non, pas un musée ! Allons à la piscine ou faire une promenade.

Françoise : On pourrait aller à Fontainebleau.

Akiko : C'est une bonne idée !

Luc : Oui, mais c'est loin. Allons plutôt à Vincennes, au Parc Floral.

Françoise : Si tu veux… C'est plus près.

Luc : Tu es d'accord, Akiko ?

Akiko : Pourquoi pas ? Je ne connais pas ce parc.

Luc : Bon, alors on va à Vincennes.

◆ **Activité 3 – Écoutez et répondez par oui ou par non.**

1 - oui ☐ non ☐   3 - oui ☐ non ☐

2 - oui ☐ non ☐   4 - oui ☐ non ☐

VOCABULAIRE

- une exposition • nouveau, nouvelle • une piscine
- une promenade (faire - -) • une idée • un parc • être d'accord • plutôt

MANIÈRES DE DIRE

- Si tu veux…
- Pourquoi pas ?   = d'accord

GRAMMAIRE

4 ▪ **Conjugaison**

a • **Présent de**

CONNAÎTRE		SAVOIR	
je	connais	je	sais
tu	connais	tu	sais
il/elle/on	connaît	il/elle/on	sait
nous	connaissons	nous	savons
vous	connaissez	vous	savez
ils/ elles	connaissent	ils/elles	savent

b • **Impératif de ALLER :** va
allons
allez

5 ▪ **Proposer quelque chose :**

a • verbe **POUVOIR** (+ infinitif) à la forme conditionnelle :
on pourrait, nous pourrions

Je ne sais pas… **Nous pourrions** voir la nouvelle exposition au Grand Palais.
On pourrait aller à Fontainebleau.

b • impératif à la 1re personne du pluriel (souvent : **allons** + infinitif)

Allons à la piscine ou faire une promenade.

◆ **Activité 4 – Faites comme dans l'exemple.**

Allons à la piscine. → *On pourrait aller à la piscine.*
On pourrait faire une promenade. → *Allons faire une promenade.*

1 - Allons faire les courses !   …………………………………………
2 - On pourrait dîner au restaurant.   …………………………………………
3 - Allons au cinéma !   …………………………………………
4 - Nous pourrions passer l'après-midi dans un parc. …………………………………………
5 - Regardons la télé !   …………………………………………

◆ **Activité 5 – Jeu de rôles.**

Trois amis veulent faire une fête, ils proposent un lieu, des invités, des menus. À vous !

LEÇON 20
Vive les vacances !
SITUATION 1

Écoutez.

M. Fabert : Bonjour, mademoiselle. Nous voudrions aller en Grèce.

L'employée : Oui. Quand voulez-vous partir ?

M. Fabert : En mai.

L'employée : Ah oui, la Grèce, c'est beau, au printemps. Il y a beaucoup de soleil et peu de touristes.

M. Fabert : Qu'est-ce que vous avez, en mai ?

L'employée : Alors... Par exemple, un circuit dans le Péloponnèse ou une croisière dans les îles grecques...

M. Fabert : Qu'est-ce que tu préfères, Cristina ?

Mme Fabert : Moi, je préfère la croisière. Et vous, les enfants ?

Les enfants : Oui, maman, la croisière !

Mme Fabert : Bon. C'est cher, cette croisière, mademoiselle ?

L'employée : Non, en mai et en juin, c'est bon marché. Vous voulez une brochure ?

Mme Fabert : Oui, merci, nous allons réfléchir.

L'employée : Au revoir, messieurs-dames. Au revoir, les enfants.

Mme Fabert : Au revoir. Merci. Nous allons revenir demain ou après-demain pour prendre les billets.

VOCABULAIRE

- après-demain • le printemps : avril, mai, juin • réfléchir • un billet • peu de • partir
- une agence de voyages • un client • une brochure
- un circuit • une croisière
- une île • grec, grecque

MANIÈRES DE DIRE

- Nous voudrions... + verbe infinitif ou nom :
  Nous voudrions faire une croisière, nous voudrions une brochure.

PRONONCIATION   Le son (ã)

◆ **Activité 1 – Écoutez et répétez.**

- – Vous voulez partir quand ?   – En mai, au printemps.
- – Quand voulez-vous partir ?   – Pendant les vacances de printemps.
- – Vous partez avec les enfants ?   – Oui, ils ont dix ans.

GRAMMAIRE

1 ▪ **L'expression de la quantité (1)** : **beaucoup de** + nom singulier ou pluriel
                                                     peu de + nom singulier ou pluriel

Il y a **beaucoup de** soleil.

Il y a **peu de** soleil.

Il y a **beaucoup de** touristes.

Il y a **peu de** touristes.

2 ▪ **L'interrogation (2) avec deux verbes**

Rappel : Il y a **trois** manières de poser une question :

- **par intonation :**   – Vous voulez partir quand ?
- **avec est-ce que :**   – Quand est-ce que vous voulez partir ?
- **par inversion du sujet :**   – Quand voulez-vous partir ?

3 ▪ **Le futur proche : aller + infinitif**

- – Nous **allons partir** en Grèce en mai ou en juin.
- – Quand **allez-vous prendre** les billets ?
- – Demain ou après-demain. Nous **allons réfléchir.**

◆ **Activité 2 - Qu'est-ce qu'ils vont faire ce week-end ?**
Utilisez le futur proche comme dans les exemples.

	Hassan	Jane
samedi	14 h théâtre (Molière) Dîner chez Elsa (20 h) Discothèque	Paris 7 h 06 - arrivée Marseille 11 h 35 Dîner chez Sophie
dimanche	Piscine Soirée chez Nadia	Promenade en bateau Marseille 18 h 00 - arrivée Paris 22 h 50

Samedi après-midi, Hassan va aller au théâtre.
ou   *Samedi, à 14 h, Hassan va voir une pièce de Molière.*

◆ **Activité 3 – Et vous, qu'est-ce que vous allez faire ce week-end ? Écrivez.**

◆ **Activité 4 – Écoutez les quatre petits dialogues et cochez la réponse correcte.**

Dialogue 1

1 - ☐ Maria est portugaise mais elle habite en France.

2 - ☐ Maria est française mais elle habite au Portugal.

3 - ☐ Maria habite au Portugal mais elle est en vacances en France.

Dialogue 2

1 - ☐ La dame va en Indonésie au printemps.

2 - ☐ La dame va en Colombie en octobre.

3 - ☐ Le monsieur va en Colombie en automne.

Dialogue 3

1 - ☐ Etsuko aime l'Italie, mais cette année, elle va en vacances en Grèce.

2 - ☐ Etsuko ne connaît pas Rome, elle va aller en Italie en septembre ou octobre.

3 - ☐ Etsuko va en vacances en Grèce au printemps.

Dialogue 4

1 - ☐ Franz est allemand, mais il habite en Autriche.

2 - ☐ Franz habite en Autriche et il parle allemand.

3 - ☐ Franz est autrichien, mais il habite en Allemagne.

VOCABULAIRE

- autrichien, autrichienne

PRONONCIATION — Comment écrire le son (ã)

Il y a plusieurs orthographes du son [ã] :

- **En général** → an ou en

    an : tranquille, France…

    en : en, enfin, attention, rentrer, commencer, prendre…

- **À la fin d'un mot** → an ou en + consonne muette

    an : quand, dans, amusant, grand, pendant, restaurant, un enfant…

    en : les gens, intelligent…

MAIS am + b ou p   le champagne, la campagne, le champ…

em + b ou p   septembre, novembre, le temps…

◆ **Activité 5 – Le système interrogatif (révision).**
Trouvez la question correspondant à la réponse comme dans l'exemple
(il y a plusieurs possibilités).

– Vous connaissez Rome ?   *– Non, mais je connais bien Venise.*

1 - …... ?   – En mai ou en juin.

2 - …... ?   – Au Portugal.

3 - …... ?   – Non, au printemps, ce n'est pas très cher.

4 - …... ?   – Oui, mais je préfère l'Espagne

5 - …... ?   – Mais non, il fait chaud en septembre.

◆ **Activité 6 – Jeu de rôles. On part en vacances !**

Avec cette publicité, imaginez des réponses de l'employée pour les questions suivantes.

1 - Je voudrais partir en Italie du Sud.
   Qu'est-ce que vous avez ?   4 - Et comme sport, qu'est-ce qu'il y a ?

2 - Il fait froid en septembre, en Sicile ?   5 - C'est cher ?

3 - Qu'est-ce qu'il y a comme monuments
   historiques ?

Visitez la Sicile

BILAN et STRATÉGIES

A - MAINTENANT VOUS SAVEZ...

1 Conjuguer au présent

a • Les verbes du 1er groupe (infinitif en -ER) et du 2e groupe (type FINIR)
   adorer : leçon 13
   finir : leçon 13

b • **avoir** (leçon 13) et **être** (leçon 13)

c • D'autres verbes :
   aller (leçon 14)
   connaître (leçon 19)
   dormir (leçon 13), **sortir** (leçon 14)
   faire (leçon 14)
   prendre (leçon 14)
   savoir (leçon 19)
   venir (leçon 13)
   vouloir (leçon 17), **pouvoir** (leçon 18)

2 Conjuguer à l'impératif les verbes en -ER

regard**e**   **2e personne → pas de -s !**
regard**ons**
regard**ez**

et **attendre** (leçon 17), **aller** (leçon 19) et **venir** (leçon 19).

3 Exprimer le futur : aller + infinitif

Nous allons réfléchir

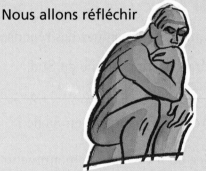

4 Exprimer la possession avec les adjectifs possessifs

C'est **ma** sœur, et là **mon** frère et **mes** parents.
Monsieur et madame Lorrain arrivent avec **leurs** deux fils et **leur** fille.

je : **mon**	tu : **ton**	il/elle : **son**	+ nom masculin ou **féminin** commençant par une voyelle, singulier
ma	**ta**	**sa**	+ nom féminin singulier
mes	**tes**	**ses**	+ nom pluriel
nous : **notre**	vous : **votre**	ils/elles : **leur**	+ nom singulier
nos	**vos**	**leurs**	+ nom pluriel

◆ **Activité 1**

Remplacez JE par :   a) il ou elle,
                  b) nous,
                  c) ils ou elles.

Le matin, je fais ma gymnastique, je prends mon petit déjeuner puis je sors. Souvent, je vois mes voisins. Mon amie Anna arrive et nous allons au travail ensemble.

5 **Comprendre et dire l'heure**

Il existe deux manières de dire l'heure en français : l'heure « familière » et l'heure « officielle » (voir leçon 17). Faites l'activité 2 et retrouvez ces différences.

◆ **Activité 2 – Écoutez, quelle heure est-il ?**

1 • Il est .... ; météo à .... ; invité à...........

2 • Arrivée du train à ...., départ à ....
   Arrêt à Orléans à ...., départ à ....

Et maintenant expliquez à un(e) ami(e) !

3 • Les informations sont à sept heures et demie, à ....

4 • Le train arrive à six heures et quart, il part à ....

VOCABULAIRE

• un train • une arrivée • un départ • un arrêt

B - COMMENT FAIRE ?

1 **En classe : comment travailler à deux ?**

a • **Proposer** :

– On travaille tou(te)s les deux ?
– Cherchons les mots dans le dictionnaire.
– On cherche ensemble ?
– On fait un jeu de rôles ?

b • **Accepter** :

– D'accord.
– Je veux bien.
– C'est une bonne idée
– Si vous voulez.
– Pourquoi pas ?

2 **Avec les Français :**

a • **Comment accepter**

  • Tu viens au cinéma ?
  – Avec plaisir, c'est à quelle heure ?
  – Pourquoi pas ? c'est une bonne idée !
  – Je veux bien. J'adore le cinéma.

ou refuser et s'excuser poliment

  – Impossible, j'ai rendez-vous avec un ami.
  – Désolée, je ne peux pas, aujourd'hui.
  – J'aimerais bien, mais je ne suis pas libre.

b • **Comment saluer : dire bonjour**

  • Bonjour, ça va ?
  – Ça va. Et toi ?

ou dire au revoir

  • Au revoir, à bientôt.
  – À bientôt.

ou : • Bonjour, Isabelle. Comment allez-vous ?
  – Bien, merci. Et vous-même ?

  • Au revoir.
  – Au revoir.

ou : • Salut ! Tu vas bien ?
  – Très bien. Et toi ?

  • Salut, à tout à l'heure !
  – D'accord, à ce soir. Salut !

LEÇON 21
Votre CV a attiré notre attention !

SITUATION 1

Écoutez.

Mme Dufour : Monsieur Mallet,
votre CV a attiré notre attention.
Voyons… Vous avez 24 ans,
vous êtes célibataire,
vous avez vécu en Indonésie
et au Japon… Vous parlez japonais ?

Loïc Mallet : Oui, j'ai vécu six mois au Japon avec mes parents
et ensuite j'ai étudié le japonais à Paris.

Mme Dufour : C'est ça, et en même temps vous avez préparé une école
de commerce… L'année dernière, vous avez fait un stage dans
une banque, en juillet et août, puis vous avez eu un emploi
d'intérimaire de septembre à novembre, dans la publicité.
Vous n'avez jamais travaillé dans l'import-export ?

Loïc Mallet : Non, jamais.

VOCABULAIRE

- un CV (curriculum vitae) • attirer l'attention • vivre • un emploi • une banque
- la publicité • étudier • préparer • faire un stage • dernier, -ère (l'année dernière)
- célibataire • un intérimaire • ne … jamais • l'import-export • juillet • août
- septembre • novembre • en même temps

MANIÈRES DE DIRE

- Vous avez fait un stage dans une banque. / Vous avez eu un emploi dans la publicité.
- Voyons… • C'est ça.

◆ **Activité 1 –** Écoutez de nouveau le dialogue et complétez le CV de Loïc.

Nom : . . . .   Prénom : . . . .
Âge : . . . .   Nationalité : . . . .
Situation familiale : . . . .   Diplômes : . . . .
Langues : . . . .   Expérience professionnelle : . . . .

◆ **Activité 2 – Écoutez et écrivez.**

	écriture		écriture
• votre CV	*c*	• notre attention	
• vous êtes célibataire		• j'ai vécu six ans	
• c'est ça		• une école de commerce	
• vous avez fait un stage		• de septembre à novembre	
• vous connaissez ?		• intéressant	

GRAMMAIRE

1 ▪ Conjugaison

   a • Présent de VIVRE

je	vis	nous	vivons
tu	vis	vous	vivez
il/elle/on	vit	ils/elles	vivent

   b • Impératif de VOIR

vois
voyons
voyez

   c • Passé composé : AVOIR + participe passé (1)

     - Premier groupe (verbes en *-er*) :

Votre CV a attiré mon attention.	j'	ai	travaillé
Vous avez préparé…	tu	as	travaillé
Vous n'avez jamais travaillé dans l'import-export ?	il/elle/on	a	travaillé
	nous	avons	travaillé
Participe passé du premier groupe : *-é*	vous	avez	travaillé
	ils/elles	ont	travaillé

     - Autres verbes :

FAIRE : vous avez fait un stage	Participe passé :	fait
AVOIR : vous avez eu un emploi		eu
VIVRE : j'ai vécu six ans au Japon		vécu

       Verbe AVOIR au présent + participe passé

2 ▪ L'expression du passé : nom indiquant le temps + dernier, -ère

L'année dernière, vous avez fait un stage.
On peut avoir : la semaine dernière, le mois dernier, l'été dernier,
le printemps dernier, l'hiver dernier, etc.

◆ **Activité 3 – À vous ! Faites comme dans l'exemple.**

   – Tu travailles ce week-end ? → Non, j'ai travaillé le week-end dernier.

1 - Vous faites des courses cette semaine ?   – Non, ...
2 - Tu vas visiter Athènes cet été ?   – Non, ...
3 - Les étudiants font un stage cette année ?   – Non, ...
4 - Isabelle change d'école cet automne ?   – Non, ...
5 - Vous passez un examen ce mois-ci ?   – Non, ...

Écoutez.

Alice :	Maman, tu es déjà là !
Sa mère :	Oui, j'ai fini tôt aujourd'hui.
	Alors, tu as bien travaillé, ma chérie ?
Alice :	Oui, maman. J'ai eu 10 en mathématiques.
Sa mère :	C'est bien !
Alice :	Et j'ai fini l'exercice la première.
	J'aime bien les maths !
Sa mère :	C'est vrai… Et en grammaire ?
Alice :	Oh là là ! C'est difficile, la grammaire !
	Je n'ai rien compris.
	J'ai essayé de faire l'exercice
	mais… pfuit!
Sa mère :	Quoi donc ?
Alice :	Je n'ai pas réussi.

VOCABULAIRE

• un exercice • les mathématiques (n.f.pl.) • difficile • mon chéri, ma chérie • essayer de + infinitif • comprendre • réussir • déjà • ne … rien

MANIÈRES DE DIRE

• J'ai eu 10 en mathématiques.   avoir + note
• J'ai fini l'exercice la première.
• Quoi donc ? = Qu'est-ce qui s'est passé ? - Qu'est-ce que tu as fait ?

PRONONCIATION   Le son (s)

◆ **Activité 4 – Il y a le son (s) ?**
Écoutez et cochez la bonne réponse comme dans l'exemple.

	oui	non		oui	non
1 -	X		5 -		
2 -			6 -		
3 -			7 -		
4 -			8 -		

GRAMMAIRE

3 ▪ Conjugaison

Le passé composé : AVOIR + participe passé (2)

a • 2ᵉ groupe (type FINIR) :
j'ai fini
je n'ai pas réussi   participe passé : *-i*

b • autre verbe :
COMPRENDRE (se conjugue comme PRENDRE) :
je n'ai rien compris
participe passé : compris

4 ▪ Place de la négation avec un verbe au passé composé

Je n'<u>ai</u> rien <u>compris</u>.
Je n'<u>ai</u> pas <u>réussi</u>.
Vous n'<u>avez</u> jamais <u>travaillé</u> dans l'import-export ?

ne + auxiliaire + mot négatif + participe passé

◆ **Activité 5 – Écoutez les questions et répondez comme dans l'exemple.**

(ne… jamais) : Non, il… → Non, il n'a jamais appris l'anglais.

1 - (ne … rien) :   Non, elle ....
2 - (ne … pas) :   Non, je ....
3 - (ne … jamais) :   Non, nous ....
4 - (ne … pas) :   Non, il ....
5 - (ne … rien) :   Non, ils ....

◆ **Activité 6 – Jeu de rôles.**

1 - Essayez de faire votre CV ci-dessous.
2 - Ensuite, avec un(e) autre élève, jouez une situation comme la Situation 1.

Nom : . . . .

Prénom : . . . .

Âge : . . . .

Nationalité : . . . .

Situation familiale : . . . .

Adresse : . . . .

Langues

(niveau : très bon, bon, assez bon) : . . . .

Diplômes : . . . .

Expérience professionnelle : . . . .

Emploi recherché : . . . .

LANGUES : JAPONAIS, ANGLAIS...

LEÇON 22
Sonia n'est pas venue aujourd'hui ?
——— SITUATION 1 ———

Écoutez.

Elsa :	Bonjour, tout le monde !
	C'est l'été aujourd'hui !
	On est le 21 juin !
	Tiens, Sonia n'est pas venue aujourd'hui ?
Bruno :	Non. Elle a téléphoné tout à l'heure.
	Elle est malade.
Elsa :	Tiens, tiens !
	Qu'est-ce qu'elle a encore ?
Bruno :	Je ne sais pas. Elle est allée chez le médecin
	samedi. Elle doit se reposer une semaine.
Elsa :	Encore ! En janvier, elle a été absente dix jours pour une bronchite
	et en février, six jours à cause d'un rhume.
Bruno :	En mars, elle a pris une semaine de vacances à la montagne.
Elsa :	En avril, rien ! Elle est venue tous les jours.
	Mais en mai, elle a fait une cure thermale.
Bruno :	C'est vrai, trois semaines à Vichy ! Vraiment, elle exagère !

VOCABULAIRE

- être malade • un médecin • faire une cure thermale
- se reposer • la montagne • devoir • une bronchite
- un rhume • être absent • exagérer
- vraiment • janvier • février • mars

MANIÈRES DE DIRE

- Bonjour, tout le monde ! • Tiens, tiens ! • Vraiment, elle exagère !
- Tout à l'heure = il n'y a pas longtemps

◆ **Activité 1 – Notez le nombre de jours d'absence de Sonia et la cause (maladie/vacances) comme dans l'exemple.**

janvier → *10 jours (une bronchite)*   • avril . . . .
• février . . . .   • mai . . . .
• mars . . . .   • juin . . . .

PRONONCIATION L'intonation expressive (1)

◆ **Activité 2 - Écoutez et répétez.**

1 - Sonia n'est pas là.
  – Tiens, tiens ! Qu'est-ce qu'elle a encore ?
2 - Elle a un rhume.
  – Tiens, tiens, encore un rhume !

GRAMMAIRE

1 ▪ Conjugaison
  le présent   DEVOIR
                je   dois
                tu   dois
                il/elle/on   doit
                nous   devons
                vous   devez
                ils/elles   doivent

2 ▪ Le passé composé avec l'auxiliaire ÊTRE (1)

Regardez :   Hier, Robert a téléphoné. Il est allé chez le médecin.

Le passé composé se conjugue avec l'auxiliaire AVOIR ou avec l'auxiliaire ÊTRE.

Passé composé = sujet + auxiliaire + participe passé
              Il   est   sorti
              Il   a   téléphoné

On conjugue avec l'auxiliaire ÊTRE :
• des verbes indiquant un changement de lieu : aller, venir, partir, sortir, arriver...
• tous les verbes pronominaux : se lever, se coucher, se retrouver, se passer...

Quelques participes passés   aller   → il est allé
                              venir   → il est venu
                              sortir   → il est sorti
                              se lever → il s'est levé

◆ **Activité 3 - Complétez avec l'auxiliaire être comme dans l'exemple.**

  Je suis venu pour te dire au revoir.
1 - Vous vous .... levés tôt, ce matin ?   3 - Elsa, tu .... sortie avec Gérald, hier soir ?
2 - Elles .... allées au restaurant, hier soir.   4 - Gérald et Bill ..... partis en Grèce.

◆ **Activité 4 - Retrouvez l'infinitif de ces verbes comme dans l'exemple.**

  Il est venu. → venir
1 - Ils ont pris le train.   4 - J'ai dormi.   7 - Elle a déménagé.
2 - Ils sont arrivés à midi.   5 - Il a fait très froid.   8 - Elle a détesté ce film.
3 - Ils ont couru.   6 - Elles sont sorties.   9 - Ils ont adoré ce film.

Écoutez.

Béatrice : Tu arrives enfin ! Tu as vu l'heure ! Presque 10 heures et quart.
Qu'est-ce qui s'est passé ?

Alain : Je suis désolé ! J'ai eu des problèmes. Je suis sorti du bureau un peu tard.
Alors, bien sûr, j'ai raté le train de 20 h 56. Et…

Béatrice : Et tu as dû attendre le train de 21 h 36 !

Alain : Oui ! C'est dur d'habiter
en banlieue !

Béatrice : Oh, tu exagères un peu !
C'est bien, la banlieue.

Alain : Hmm… Vous avez dîné ?

Béatrice : Les enfants, oui. Ils sont allés se coucher.
Moi, j'ai attendu.

Alain : C'est vraiment gentil, merci.

Béatrice : Alors, à table !

VOCABULAIRE

- la banlieue, habiter en banlieue
- un problème

- J'ai raté le train.

MANIÈRES DE DIRE

- Tu as vu l'heure !
- À table !

PRONONCIATION   L'intonation expressive (2)

◆ **Activité 5 – Écoutez et répétez.**

1 - Tu as vu l'heure ? Qu'est-ce qui s'est passé ?

2 - C'est dur d'habiter en banlieue ! – Oh, tu exagères un peu !

◆ **Activité 6 – Vrai, Faux ou Je ne sais pas ?**
Cochez la bonne réponse comme dans l'exemple.

	Vrai	Faux	Je ne sais pas
Béatrice et Alain ont des enfants.	X		
1 - Alain ne travaille pas le matin.			
2 - Il n'aime pas beaucoup vivre en banlieue.			
3 - En général, il prend le train de 20 h 56.			
4 - Béatrice a dîné avec les enfants.			

GRAMMAIRE

3 ▪ Le verbe DEVOIR : Monsieur, il faut partir = vous devez partir.

Regardez :   Le médecin : Madame, il faut vous reposer.
→ Sonia **doit** se reposer.

L'employé :   Monsieur, **il faut** attendre le train de 21 h 36.
→ Alain **doit** attendre le train de 21 h 36.
→ **Hier**, Alain **a dû** attendre le train de 21 h 36.

4 ▪ Le passé composé avec l'auxiliaire ÊTRE (2)

Regardez :   Les enfants **ont dîné**. Ils **sont allés** se coucher.

Attention ! Avec l'auxiliaire ÊTRE, il faut accorder le sujet et le participe.

il est parti	ils sont partis
elle est partie	elles sont parties

◆ **Activité 7 – Auxiliaire ÊTRE ou auxiliaire AVOIR ? Utilisez un passé composé comme dans les exemples. Attention aux accords !**

*En général, Alain <u>prend</u> le train de 20 h 56, mais hier, il a pris le train de 21 h 36.
En général, les enfants <u>arrivent</u> à midi, mais hier, ils sont arrivés à deux heures.*

1 - En général, Béatrice <u>dîne</u> à huit heures, mais hier, ...

2 - En général, elle <u>sort</u> du travail à 17 h, mais hier, ...

3 - En général, elle <u>vient</u> en bus, mais hier, ...

4 - En général, Béatrice <u>se lève</u> à 7 h, mais hier, ...

5 - En général, ils <u>dînent</u> chez eux, mais hier, ...

◆ **Activité 8 – Complétez comme dans l'exemple.**

Hier, Alice *s'est levée* à sept heures ; elle .... Elle .... le bus.
Elle .... au bureau à neuf heures. À midi, elle .... au restaurant
avec une amie. Elle .... jusqu'à cinq heures. À cinq heures, elle ....
du bureau et elle .... au cinéma. Elle .... un film japonais.
Elle .... chez elle à neuf heures.

LEÇON 23
Qu'est-ce que vous avez visité ?

─── SITUATION 1 ───

Écoutez.

Alice :   Oh là là ! Tu es toute bronzée. Tu arrives d'Afrique ou de Floride ?

Laura :   Non, j'ai passé deux semaines en Grèce.

Alice :   Toute seule ?

Laura :   Non, avec Jeff et Gerald, mes copains américains.

Alice :   Ah oui. Vous êtes restés à Athènes ?

Laura :   Deux jours seulement. Le premier jour, nous sommes allés au musée archéologique.

Alice :   C'est intéressant ?

Laura :   Très ! Et le lendemain, nous sommes montés au Parthénon. C'est superbe.

Alice :   Et après ?

Laura :   Après, nous avons pris un bus et nous sommes allés dans le Péloponnèse. Je suis passée voir des amis grecs à Épidaure.

Alice :   Vous vous êtes baignés ?

Laura :   Bien sûr, tous les jours. Il y a des plages magnifiques.

VOCABULAIRE

- tout, -e • bronzée • seul, -e • un copain • archéologique
- le lendemain • monter • superbe • se baigner
- une plage • magnifique

MANIÈRES DE DIRE

- C'est intéressant ? Très ! • Elle est jolie ? Très !

PRONONCIATION   Le son (3)

◆ **Activité 1 – Écoutez et répétez.**

– Bonjour, Jeff. C'est moi, Gerald.
– Bonjour, Gerald.
– Je vais à la plage. Tu viens ?
– Ah, c'est gentil. Je veux bien.

◆ **Activité 2 – Les sons [ʒ] – [z] – [s]**
Cochez le son que vous entendez, comme dans l'exemple.

	[ʒ]	[z]	[s]		[ʒ]	[z]	[s]
1 -	X			6 -			
2 -				7 -			
3 -				8 -			
4 -				9 -			
5 -				10 -			

GRAMMAIRE

1 ▪ Le passé composé avec les auxiliaires ÊTRE et AVOIR

auxiliaire AVOIR

J'ai pris le bus.
J'ai passé deux semaines en Grèce.

auxiliaire ÊTRE

Je suis resté(e) à Athènes
Je suis passé(e) par Rome.
Je suis allé(e) en Grèce.
Je suis monté(e) au Parthénon.
Je suis rentré(e) le 1er octobre.
Je suis parti(e) avec des amis.
Je me suis promené(e).
Je me suis baigné(e) tous les jours.

Attention !   Anna, tu as passé tes vacances en Grèce ?
Anna, tu es passée voir tes amis grecs à Épidaure ?

Passer + complément d'objet direct → auxiliaire AVOIR
(elle a passé ses vacances en Grèce)

2 ▪ Les différents sens de TOUT

a • TOUT adjectif
(tout + article défini ou adjectif possessif ou adjectif démonstratif)

Tout le monde connaît Paola.
Il a fini tout son travail.
C'est toi qui as fait tout ce travail ?

Elle s'est baignée tous les jours.
J'ai invité tous mes amis.
Tous ces livres sont à toi ?

Il s'est promené toute la journée.
Il a travaillé toute sa vie.
Il a travaillé toute cette année.

Il connaît toutes les filles du cours.
Il a écrit à toutes ses amies.
Tu vas manger toutes ces oranges ?

b • TOUT adverbe (tout + adjectif) = complètement, très

Il est parti tout seul, elle est partie toute seule.
Il est tout bronzé, elle est toute bronzée.

3 ▪ Demain / Le lendemain

• Le 10 mai, Anne parle à Marco :
   « Demain, je pars en vacances. Je vais en Grèce. »
• Marco rencontre Pierre le soir :
   « Tu sais, j'ai vu Anne ce matin. Elle part demain en Grèce. »
• Marco rencontre Pierre un mois plus tard :
   « Le 10 mai, j'ai rencontré Anne. Elle est partie en Grèce le lendemain. »

SITUATION 2

Écoutez le document sonore.

Keiko raconte sa semaine à Paris. Regardez son agenda. Trouvez les différences entre ce qu'elle raconte et ce qu'elle écrit.

Lundi 19 juin	Arrivée Roissy - 10 h 15 (vol Air France) Après-midi → Louvre Soir → Comédie-Française (Shakespeare : *Hamlet*)
Mardi 20 juin	Promenade (Seine, Quartier latin, Saint-Germain-des-Prés)
Mercredi 21 juin	Versailles - Impossible de visiter le château (fermé)
Jeudi 22 juin	13 h Rendez-vous avec les Hirokawa (déjeuner) Après-midi → tour Eiffel
Vendredi 23 juin	Matin → bateau-mouche Après-midi → courses (Galeries Lafayette)
Samedi 24 juin	Vol Air France Paris-Montréal (Roissy - 10 h 00)

◆ **Activité 3 - Regardez ces photos**
   Cochez les lieux où Keiko est allée. Indiquez le jour.

1. ☐ .... 2. ☐ .... 3. ☐ .... 4. ☐ ....

5. ☐ .... 6. ☐ .... 7. ☐ .... 8. ☐ ....

◆ **Activité 4 – Écoutez à nouveau le document sonore.
Notez les verbes qui sont au passé composé.**

Faites deux listes : verbes avec l'auxiliaire ÊTRE, verbes avec l'auxiliaire AVOIR comme dans l'exemple.

ÊTRE : *je suis arrivée* ....   AVOIR : *j'ai voyagé* ....

....

PRONONCIATION   Les sons (ʃ), (ʒ), (s), (z)

◆ **Activité 5 – Écoutez et répétez.**

1 - chez moi, chez lui, chez Charles - dimanche - des Chinois
2 - jeudi - je ne peux pas - je ne sais pas - on déjeune - on mange
3 - samedi - Sonia - une salade - un sandwich
4 - des amis - des oranges

◆ **Activité 6 – Écoutez, répétez puis jouez la scène deux par deux.**

Mini-dialogues :
1. Pierre :   Sonia, tu vas chez Charles, jeudi ?
     Sonia :   Non. Et toi, tu vas chez lui, jeudi ?
     Pierre :   Je ne peux pas. Jeudi, je déjeune chez des amis chinois.

2. Anne :   On déjeune et après, on va à la plage. D'accord ?
     Laurent :   D'accord, je veux bien. Qu'est-ce qu'on mange ?
     Anne :   Je ne sais pas, un sandwich, une salade, des oranges....

◆ **Activité 7 – Jeu de rôles.**

Vous aussi, vous êtes allé(e) à Paris. Voici un programme : « Tout Paris en trois jours ».
Racontez votre voyage. Vous pouvez faire ce travail à deux.

VENDREDI	SAMEDI	DIMANCHE
10 h - *Tour de la ville en bus*	9 h - *Notre-Dame de Paris*	10 h - *Musée d'Orsay*
13 h - *Déjeuner au Ritz*	10 h - *Promenade :*	13 h - *Tour Eiffel*
16 h - *Musée du Louvre*	*île de la Cité,*	*(+ déjeuner)*
20 h - *Comédie-Française*	*île Saint-Louis,*	*Après-midi*
	Quartier latin,	*libre*
	Saint-Germain-des-Prés	
	13 h - *Bateau-mouche*	
	(+ déjeuner)	
	Après-midi libre	
	22 h - *Folies-Bergère*	

LEÇON 24
Ils sont déjà partis ?

SITUATION 1

Écoutez.

Geneviève :	Ouf ! Je suis fatiguée…
Victor :	On a passé un bon week-end tout de même !
Geneviève :	Oh oui ! Je me suis bien amusée.
Victor :	Regarde ! Il y a un message sur le répondeur.
Geneviève :	C'est vrai. Écoutons !
Le répondeur :	Bonjour, c'est Maryse. Nous sommes à Paris depuis ce matin. Nous restons deux ou trois jours… Désolée, je n'ai pas pu appeler avant. Je vais rappeler plus tard, ce soir ou demain matin. Bisous.
Victor :	Ils sont déjà partis ? Elle a appelé quand ?
Geneviève :	Je ne sais pas. Elle dit : « Nous sommes là depuis ce matin »…
Victor :	Et nous avons été absents deux jours ! Il n'y a pas d'autre message ?
Geneviève :	Non, c'est tout.
Victor :	Alors, elle a appelé aujourd'hui, sans doute.
Geneviève :	Pourquoi ?
Victor :	Parce qu'elle n'a pas rappelé : ni hier soir, ni ce matin.

VOCABULAIRE

- depuis • s'amuser • avant (= plus tôt) • un bisou (= un baiser)
- dire • un message • rappeler (au téléphone) • un répondeur • sans doute • autre

MANIÈRES DE DIRE

- On a passé un bon week-end **tout de même !** • Ouf !
- Alors, elle a appelé aujourd'hui, sans doute.   **Sans doute ≈ je pense**

PRONONCIATION   La liaison avec « on »

« on » + voyelle : on arrive   « on n' » + voyelle : on n'arrive pas

◆ **Activité 1 – Écoutez, répétez et cochez les phrases négatives comme dans l'exemple.**

- On a passé un bon week-end. ☐
- On est à Paris. ☐
- On a bien compris. ☐
- On n'écoute jamais la radio. ☒

- On n'a pas pu appeler avant. ☐
- On n'a rien compris. ☐
- On aimerait voir la tour Eiffel. ☐
- On attend une réponse. ☐

1 ▪ Conjugaison

le verbe DIRE	Présent		Passé composé		
je	dis	j'	ai	dit
tu	dis	tu	as	dit
il/elle/on	dit	il/elle/on	a	dit
nous	disons	nous	avons	dit
vous	dites	vous	avez	dit
ils/elles	disent	ils/elles	ont	dit

2 ▪ L'expression du temps

a • Le moment de la journée

– Je vais rappeler plus tard, ce soir ou demain matin.
– Elle a appelé **aujourd'hui**.
– Pourquoi ?
– Parce qu'elle n'a pas rappelé : ni hier soir, ni ce matin.

Pour exprimer le moment de la journée, on emploie :

HIER	AUJOURD'HUI	DEMAIN
hier matin	ce matin	demain matin
hier à midi	à midi	demain midi
hier après-midi	cet après-midi	demain après-midi
hier soir	ce soir	demain soir
la nuit dernière	cette nuit	la nuit **prochaine**

b • Une durée :

Nous sommes à Paris **depuis** ce matin.
Arrivée
I ————————————————————————————————>
Depuis   nous sommes à Paris

◆ **Activité 2 – Écoutez et complétez comme dans les exemples.**

1. Lundi matin vers 10 h : Patricia appelle Laure.

Patricia : J'aimerais aller voir une exposition ; tu es libre ?
Laure :   Aujourd'hui ? humm… c'est difficile ! *Ce matin*, je vais faire les courses,
          ensuite …………………………., je déjeune avec Bruno,
          ……………………….................. je dois aller chercher les enfants à l'école
          à quatre heures et demie et …………….., nous allons au cinéma.
Patricia : Et ………………….. ?
Laure :   ……………………….. j'ai un cours de gymnastique à neuf heures et quart
          et un rendez-vous à onze heures. On peut se retrouver ………………………
          vers deux heures.
Patricia : D'accord. On se retrouve ………………….. à deux heures.

2. Mardi : Laure raconte sa journée de lundi à un ami.

Hier matin, je *suis allée* faire les courses, ensuite ………………………………,
j'…………………. avec Bruno, ……………………….., je ……………… chercher
les enfants à l'école à quatre heures et demie, et ……………………….,
nous …………………. au cinéma.

SITUATION 2

Écoutez.

Patrick : Et lui, qui est-ce ?

La mère : Mais, tu ne reconnais pas ton oncle, maintenant ?

Patrick : Quel oncle ? Ah ! mais si, bien sûr, oncle François !

Isabelle : Tante Catherine et lui sont venus ici, l'automne dernier !

La mère : Vous vous rappelez ?
Ils se sont mariés il y a deux ans et nous sommes allés à leur mariage.

Isabelle : Les photos du mariage sont ici. Regarde : là, c'est grand-mère et là, derrière la mariée, c'est grand-père Jean…

Patrick : Et là, à gauche, il y a Paul, notre cousin de Rouen.
Tu te rappelles, le soir du mariage, nous nous sommes cachés dans le grenier !

Isabelle : Oui, nous avons bien ri…

VOCABULAIRE

• l'oncle • la tante • le grand-père • la grand-mère • un marié, une mariée
• le grenier • le mariage • se marier • reconnaître • se rappeler • se cacher • rire

 ◆ **Activité 3 – Regardez l'arbre généalogique de la famille Lefort : écoutez et écrivez les noms manquant sur l'arbre, puis complétez les explications.**

Paul Laurin et Patrick Lefort sont ……… ;
Louise Lefort et Julie Lefort sont ……….. ;
Clément est leur ………………… :
Julie et Isabelle sont ……………… ;
Patricia est la …………………… de Julie
et la …………………… de Patrick ;

Anna aussi est la …………… de Patrick !
Patrick et Isabelle ont …………… oncles
et ……………… cousins.

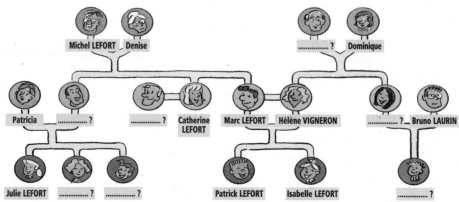

GRAMMAIRE

3 ▪ Conjugaison : le passé composé des verbes pronominaux

Rappel : toujours avec l'auxiliaire ÊTRE

je	me	suis	amusé(e)	nous	nous	sommes	amusé(e)s
tu	t'	es	amusé(e)	vous	vous	êtes	amusé(e)(s)
il/on	s'	est	amusé	ils	se	sont	amusés
elle	s'	est	amusée	elles	se	sont	amusées

4 ▪ Réponse à une question négative

La mère : Tu ne reconnais pas ton oncle ?
Patrick : Mais si, bien sûr, oncle François !

Réponse affirmative : si + phrase affirmative
Réponse négative : non + phrase négative

◆ **Activité 4 – Écoutez les questions et donnez une réponse affirmative, comme dans les exemples.**

– *Vous n'aimez pas le cinéma ?* – *Si, j'aime beaucoup le cinéma.*
– *Vous aimez le cinéma ?* – *Oui, j'aime le cinéma.*

1 - ....
2 - ....
3 - ....
4 - ....
5 - ....
6 - ....

GRAMMAIRE

5 ▪ L'expression du temps : passé-présent-futur

PASSÉ	PRÉSENT	FUTUR
hier la semaine dernière le mois dernier l'année dernière il y a deux ans	aujourd'hui cette semaine ce mois-ci cette année	demain la semaine prochaine le mois prochain l'année prochaine dans deux ans

◆ **Activité 5 – Jeu à faire par équipes.**

À partir de deux personnages, imaginez l'arbre généalogique d'une (très) grande famille.

Béatrice et Catherine (deux sœurs)   Florence et Luc

À vous !

BILAN et STRATÉGIES

A - MAINTENANT VOUS SAVEZ...

1 Parler d'un fait passé

Anne raconte.

Hier, **Elsa est venue** chez moi.
Nous avons écouté des CD et après,
nous nous sommes promenées.
Le soir, **nous sommes allées** au cinéma.
Nous avons vu un film russe.
Je suis rentrée très tard.

- **Le passé composé se conjugue soit avec l'auxiliaire AVOIR, soit avec l'auxiliaire ÊTRE.**
- **Avec l'auxiliaire ÊTRE, il faut accorder le sujet et le participe passé.**

◆ Activité 1 – Mettez les infinitifs au passé composé comme dans l'exemple.
(voir leçon 22, Situation 2)

Hier, Alain **est arrivé** chez lui à neuf heures et demie : il *(sortir)* de son travail très tard et il *(manquer)* le train.
Il *(devoir)* attendre longtemps à la gare.
Béatrice *(attendre)* son mari mais les enfants *(manger)* et ils *(se coucher)* à neuf heures.

◆ Activité 2 – Le week-end dernier, qu'est-ce que vous avez fait ? Cochez les bonnes réponses.

J'ai lu.	☐	J'ai fait de la bicyclette. ☐
J'ai travaillé.	☐	Je suis allé(e) au cinéma. ☐
J'ai vu des amis.	☐	J'ai dormi très tard. ☐
Je suis parti(e) à la campagne.	☐	Je suis allé(e) à la discothèque. ☐

---

2 Situer un événement dans le temps

a • **Depuis / Il y a**

Regardez :

1. J'ai rencontré Noriko **il y a dix minutes.**
                          il y a deux mois.
                          il y a trois ans.

Il y a + durée → idée d'un événement précis et fini dans le passé.

2. Je connais Noriko **depuis le 15 octobre 1998.**
                        depuis deux ans.
                        depuis son mariage avec José.

Depuis + durée ou événement ou date

→ idée de quelque chose qui continue dans le présent .

(je connais encore Noriko maintenant).

b • Aujourd'hui - demain - après-demain - la semaine prochaine...
Aujourd'hui - hier - avant-hier - la semaine dernière...

avant-hier	hier	**aujourd'hui**	demain	après-demain
10 mai	11 mai	**12 mai**	13 mai	14 mai

◆ **Activité 3 - Natacha raconte. Choisissez : demain, après-demain, hier, avant-hier.**

- 8 avril : arrivée à Paris (gare du Nord)
- 9 avril : Paris, visite du Louvre
- 10 avril : voyage à Lyon
- 11 avril : Paris, bateau-mouche (dîner avec Ronald)
- 12 avril : Versailles, visite du château

Aujourd'hui, nous sommes le 10 avril, je prends le train pour Lyon.
Je vais voir mon frère Peter, il habite à Lyon depuis dix ans.
Je suis arrivée à Paris .... et, ..., je suis allée visiter le Louvre.
J'adore ce musée, il est vraiment magnifique.
...................., je vais à Versailles, mais avant, ..., je vais rencontrer
mon ami Ronald. Je vais dîner avec lui sur un bateau-mouche.

B - COMMENT FAIRE ?

1 À la maison : travailler seul la phonétique

a • Regardez une cassette vidéo en français **sans le son**. Observez la manière dont les Français articulent les voyelles.

b • Mettez-vous devant votre miroir et exercez-vous à articuler en exagérant :

$$[i]-[e]-[\varepsilon]-[\phi]-[\text{œ}]$$

Puis :
- **Nathalie est belle** [a-a-i-e-ɛ] ;
- **il est deux heures** [i-e-ø-œ]
- **elle est partie à neuf heures et demie** [ɛ-e-a-i-a-œ-œ-e-ø-i]

VOCABULAIRE

- une bicyclette • une discothèque

2 Avec les Français : demander et donner une opinion

– Vous avez vu ce film de Spielberg. C'est intéressant ?
– Oui, c'est superbe. J'ai adoré ce film.

– Vous connaissez Athènes ? C'est bien ?
– Oui, j'aime beaucoup cette ville, c'est très vivant.

VOUS CONNAISSEZ ATHÈNES ? C'EST BIEN ?

OUI, J'AIME BEAUCOUP CETTE VILLE, C'EST TRÈS VIVANT !

PRÉCIS GRAMMATICAL

(avec exercices d'entraînement enregistrés pour les leçons
4,5,6,7,9,10,12,14,17,19,20,21,22,23,24)

Les différents types de phrases

a - La phrase affirmative simple : sujet + verbe + ...

Marie / regarde / un livre.
Elle / téléphone / à ses parents.
Les enfants / vont / au cinéma.
Il / est / beau.

b - La phrase négative : *ne ... pas*

• **Au présent :** sujet + *ne* + verbe + *pas*

Elle ne travaille pas.

• **Au futur proche :** sujet + *ne* + *aller* + *pas* + infinitif

Elle ne va pas partir.

• **Au passé composé :** sujet + *ne* + auxiliaire *avoir* ou *être* + *pas* + participe passé

Je n'ai pas compris la leçon.

Elle n'est pas partie.

◆ **Exercice 1** - **Mettez à la forme négative (avec *ne ... pas* - verbe au présent).**

(leçon 6) *Il travaille à Paris.* ➜ *Il ne travaille pas à Paris.*

◆ **Exercice 2** - **Même exercice (avec *ne ... pas* - verbe au passé composé).**

(leçon 23) *Je suis allé en Australie.* ➜ *Je ne suis pas allé en Australie.*

• **D'autres négations :**

– *ne ... jamais : Il ne voyage jamais. / Il n'a jamais voyagé.*

– *ne ... rien : Il ne mange rien. / Il n'a rien mangé.*

◆ **Exercice 3** - **Répondez comme dans les exemples (avec *ne ... pas, ne ... jamais***
(leçon 24) **ou *ne ... rien*).**

– *Vous fumez ? – Non, je ne fume pas.*

– *Vous fumez souvent ? – Non, je **ne** fume **jamais**.*

– *Vous prenez quelque chose ? – Non, je ne prends rien.*

c - La phrase interrogative simple (réponse : oui ou non)

Il y a trois manières de poser une question :

– *Vous connaissez mon frère Marc ?* (niveau familier)

– *Est-ce que vous connaissez mon frère Marc ?* (niveau standard)

– *Connaissez-vous mon frère Marc ?* (niveau soutenu)

◆ **Exercice 4** - **Transformez comme dans l'exemple.**

(leçon 7)   *Vous aimez le théâtre ?* ➜ *Est-ce que vous aimez le théâtre ?*

◆ **Exercice 5** - **Transformez comme dans l'exemple.**

(leçon 9)   *Vous voulez venir au cinéma ?* ➜ *Voulez-vous venir au cinéma ?*

Les mots interrogatifs :
qui, qu'est-ce que, où, quand,
comment, pourquoi, combien...

– ***Qui est-ce ?*** – ***C'est*** + **nom de personne**

>   – *Qui est-ce ? – C'est mon frère.*

– ***Qu'est-ce que c'est ?*** – ***C'est*** + **nom de chose**

>   – *Qu'est-ce que c'est ? – C'est mon livre de grammaire française.*

◆ **Exercice 6** - ***Qu'est-ce que c'est ? Qui est-ce ?* Trouvez la question correspondant**
(leçon 5)   **à la réponse.**

>   *C'est Marie Dorset.* ➜ *Qui est-ce ?*
>   *C'est la maison des Dorset.* ➜ *Qu'est-ce que c'est ?*

● **Rappel - Il y a trois manières de poser une question :**

>   – *Vous allez où ? Vous partez quand ? Vous voyagez comment ?*
>   *(niveau familier)*

>   – *Où est-ce que vous allez ? Quand est-ce que vous partez ? Comment*
>   *est-ce que vous voyagez ? (niveau standard)*

>   – *Où allez-vous ? Quand partez-vous ? Comment voyagez-vous ?*
>   *(niveau soutenu)*

◆ **Exercice 7** - **Transformez comme dans l'exemple.**

(leçon 9)   *Où est-ce que vous habitez ?* ➜ *Où habitez-vous ?*

>   *Où est-ce que vous êtes allés en vacances ?*
>   ➜ *Où êtes-vous allés en vacances ?*

Le nom commun

⬤ **- Le genre**

● **masculin : -e** ➜ **féminin : -e :**
>   *un élève, une élève - un journaliste, une journaliste*

● **féminin = masculin + -e :**
>   *un ami, une amie - un étudiant, une étudiante - un Chinois, une Chinoise*

● **masculin : -eur** ➜ **féminin : -euse :**
>   *un chanteur, une chanteuse - un danseur, une danseuse*

- masculin : **-teur** ➜ féminin : **-trice** :

  *un act**eur**, une act**rice** - un direct**eur**, une direct**rice***

- masculin : **-er** ➜ féminin : **-ère** :

  *un cuisin**ier**, une cuisin**ière***

- masculin et féminin **différents** :

  un homme, une femme - un garçon, une fille - un frère, une sœur

Attention ! Certains noms sont toujours au masculin : un docteur, un professeur, un ingénieur.

 ◆ **Exercice 8** - **Transformez comme dans l'exemple.**

(leçon 5)   *C'est un chanteur. ➜ C'est une chanteuse.*

b • Le nombre

En général, pluriel = singulier + -s :

  *un élève, des élève**s** - un chanteur, des chanteur**s** -
  une actrice, des actrice**s***

Attention !

- En général, noms en **-au**, **-eau**, **-eu**, pluriel = singulier + **-x** :

  *un gâteau, des gâteau**x***

- Les noms terminés par **-s**, **-x**, **-z** ne changent pas :

  un pays, des pays - un nez, des nez

- Certains pluriels sont différents des singuliers :

  un œil, des yeux

 ◆ **Exercice 9** - **Transformez comme dans les exemples (attention à la liaison).**

(leçon 5)   *Il y a un bébé. ➜ Il y a des bébés.*

J'ai un ami. ➜ J'ai des amis.

L'actualisation du nom

a - L'article indéfini

- On utilise **un**, **une**, **des** pour introduire un objet ou une personne :

  *Vous voulez **un** café ? - Elle a **des** enfants.*

- **Un** peut aussi exprimer un nombre (= un seul) :

  *Elle a trois garçons et **une** fille.*

b - L'article défini

- On utilise **le**, **la**, **les** pour désigner quelque chose de déjà connu, de
  particulier :

  *Tu connais **le** fils de Marie-Christine ?*

- **Le, la, les** peuvent aussi exprimer une notion générale :

    Le sport est bon pour la santé.

◆ **Exercice 10 - Transformez en précisant, comme dans l'exemple.**

(leçon 9)   *Tiens, un autobus ! → Oui, c'est l'autobus du soir.*

(Oui, c'est l'autobus qui va à Cannes. - Oui, c'est l'autobus 211.)

c - C'est... / Il / Elle est...

- *C'est* + nom propre :

    C'est Anna, ma cousine.

- *C'est* + pronom tonique :

    C'est moi, c'est toi, c'est lui, c'est elle...

- *C'est* + article ou possessif + nom :

    C'est le professeur de mathématiques. - C'est un médecin.
    C'est mon fils.

- *C'est* + adjectif :

    C'est bon, c'est joli, c'est facile...

- *Il/Elle est* + profession ou fonction ou nationalité :

    Il est médecin. - Elle est américaine.

- *Il/Elle est* + adjectif :

    Elle est belle, il est beau.

d - Les adjectifs démonstratifs : *ce, cet, cette, ces*

- *Ce* + nom masculin commençant par une consonne :

    *un livre → **ce** livre*

- *Cet* + nom masculin commençant par une voyelle ou un « h » non aspiré :

    *un ami → **cet** ami - un homme → **cet** homme*

- *Cette* + nom féminin :

    *une amie → **cette** amie - une fille → **cette** fille*

- *Ces* : nom masculin ou féminin pluriel :

    *des amis → **ces** amis - des amies → **ces** amies*
    *des livres → **ces** livres - des filles → **ces** filles*

◆ **Exercice 11 - Transformez comme dans l'exemple.**

(leçon 12)   *Le dimanche, je ne travaille pas. → Ce dimanche, je ne travaille pas.*
La maison est très jolie. → Cette maison est très jolie.

e - Les adjectifs possessifs : *mon, ma, mes...*

	masculin	féminin + voyelle	masc. ou fém. pluriel	masc. ou fém.
je	**mon** frère	**ma** sœur	**mon** ami(e)	**mes** parents
tu	**ton** frère	**ta** sœur	**ton** ami(e)	**tes** parents
il/elle	**son** frère	**sa** sœur	**son** ami(e)	**ses** parents
nous	**notre** frère	**notre** sœur	**notre** ami(e)	**nos** parents
vous	**votre** frère	**votre** sœur	**votre** ami(e)	**vos** parents
ils/elles	**leur** frère	**leur** sœur	**leur** ami(e)	**leurs** parents

 ◆ **Exercice 12 - Transformez, en passant du pluriel au singulier, comme dans l'exemple.**

(leçon 19)   *Voilà mes photos.* ➜ *Voilà **ma** photo.*

L'adjectif

a - Le genre

- En général, féminin = masculin + *-e* :

    il est grand, elle est grande - il est joli, elle est jolie

- Adjectif terminé en *-e*, masculin = féminin :

    il est difficile, elle est difficile - il est jeune, elle est jeune

- Masculin en *-f*, féminin en *-ve* :

    un immeuble neuf, une maison neuve

- Masculin en *-ien*, féminin en *-ienne* :

    il est indonésien, elle est indonésienne

- Masculin en *-n*, féminin en *-nne* : *il est bon, elle est bonne*

- Masculin en *-s*, féminin en *-sse* : *il est bas, elle est basse*

- Féminins irréguliers : *beau, belle*

 ◆ **Exercice 13 - Répondez comme dans l'exemple.**

(leçon 4)   *Il est beau. Et elle ?* ➜ *Elle aussi, elle est belle.*

b - Le nombre

- En général, pluriel = singulier + *-s* :

    ils sont grands, elles sont grandes

- Les adjectifs terminés par *-s* ou en *-x* ne changent pas :

    il est gros, ils sont gros - il est heureux, ils sont heureux

c - Le comparatif

Il mesure 1,80 m, sa sœur mesure 1,70 m ➜ *Il est **plus** grand **que** sa sœur.*
*Sa sœur est **moins** grande **que** lui.*

Le verbe

a - Le présent

• **Verbes en -er** *(sauf aller)* *(1ᵉʳ groupe)*		• **Verbes en -ir** *(sauf venir, partir, sortir, dormir...) (2ᵉ groupe)*
Parler	**Aller**	**Finir**
je parl**e** français	je vais	je fin**is**
tu parl**es** français	tu vas	tu fin**is**
il/elle/on parl**e** français	il/elle/on va	il/elle/on fin**it**
nous parl**ons** français	nous allons	nous fin**issons**
vous parl**ez** français	vous allez	vous fin**issez**
ils/elles parl**ent** français	ils/elles vont	ils/elles fin**issent**

• Quelques verbes irréguliers

Être	**Avoir**	**Venir**	**Pouvoir**
je suis	j'ai	je viens	je peux
tu es	tu as	tu viens	tu peux
il/elle/on est	il/elle/on a	il/elle/on vient	il/elle/on peut
nous sommes	nous avons	nous venons	nous pouvons
vous êtes	vous avez	vous venez	vous pouvez
ils/elles sont	ils/elles ont	ils/elles viennent	ils/elles peuvent
Faire	**Savoir**	**Prendre**	**Vouloir**
je fais	je sais	je prends	je veux
tu fais	tu sais	tu prends	tu veux
il/elle/on fait	il/elle/on sait	il/elle/on prend	il/elle/on veut
nous faisons	nous savons	nous prenons	nous voulons
vous faites	vous savez	vous prenez	vous voulez
ils/elles font	ils/elles savent	ils/elles prennent	ils/elles veulent

◆ **Exercice 14 - Répondez, en conjuguant, comme dans l'exemple.**

(leçon 10) *Il parle italien. Et vous ?* ➜ *Nous aussi, nous parlons italien.*

◆ **Exercice 15 - Répondez comme dans les exemples.**

(leçon 6) *Je ne comprends pas. Et toi ?* ➜ *Moi, je comprends.*

Il travaille beaucoup. Et elle ? ➜ *Elle, elle ne travaille pas beaucoup.*

b - Le futur proche : *aller* + infinitif
*Demain, je **vais faire** une promenade.*

◆ **Exercice 16** - **Répondez comme dans l'exemple.**

(leçon 20) *Je pars en vacances aujourd'hui. Et vous ?* → *Nous allons partir plus tard.*

c • Le passé composé

- **Auxiliaire *être* + participe passé des verbes :**
  aller, venir, arriver, partir, entrer (et rentrer), sortir, monter, descendre, tomber, passer, rester, naître, mourir, **et de tous les verbes pronominaux :**

  > *Elles **sont arrivées** à six heures.*
  > *Elles **se sont levées** tard.*

- **Auxiliaire *avoir* + participe passé des autres verbes.**
  > *Elles ont mangé un sandwich et elles ont bu un café.*

Attention !

- Cinq verbes peuvent se conjuguer avec *être* **ou** *avoir* :
  > *passer, monter, descendre, (r)entrer, sortir.*

  - **sans** complément d'objet direct → ***être*** :
    > *Elle est passée voir Pierre*

  - **avec** complément d'objet direct → ***avoir*** :
    > *Elle a passé **un mois** à Paris.*

- **Formes du participe passé**

  - Verbes en ***-er*** (1ᵉʳ groupe) → participe passé en ***-é*** :
    > *il est arrivé, elle a téléphoné*

  - Verbes en ***-ir*** (2ᵉ groupe) → participe passé en ***-i*** :
    > *elle a fini, elle a réussi*

- **Quelques participes passés irréguliers**

avoir : j'ai eu	venir : je suis venue
être : j'ai été	pouvoir : j'ai pu
descendre : je suis descendue	savoir : j'ai su
répondre : j'ai répondu	voir : j'ai vu
dire : j'ai dit	faire : j'ai fait
écrire : j'ai écrit	naître : elle est née à Lyon
prendre : j'ai pris	mourir : elle est morte à Marseille

◆ **Exercice 17** - **Mettez la phrase au passé composé comme dans l'exemple (auxiliaire *avoir*).**

(leçon 21) *Il déjeune chez lui.* → *Il a déjeuné chez lui.*

◆ **Exercice 18** - **Même consigne (auxiliaire *être*).**

(leçon 22) *Il arrive à six heures.* → *Il est arrivé à six heures.*

◆ **Exercice 19** - **Même consigne (attention ! auxiliaire *être* ou *avoir*).**

(leçon 23) *Il vient chez moi.* → *Il est venu chez moi.*
         Il apprend le russe. → *Il a appris le russe.*

(leçon 23) *Maria et Lucia, deux jeunes filles espagnoles, viennent à Paris.*
➜ *Maria et Lucia, deux jeunes filles espagnoles, **sont venues** à Paris.*

d - L'impératif

	Présent	**Impératif**
Parler	Tu parles français	Parle français !
	Nous parlons	Parlons français !
	Vous parlez	Parlez français !
Sortir	Tu sors	Sors !
	Nous sortons	Sortons !
	Vous sortez	Sortez !

◆ **Exercice 21** - **Répondez comme dans les exemples**

(leçon 17) *Je peux venir avec vous, s'il vous plaît ? ➜ Mais oui, **viens** !*
*Nous pouvons venir avec vous, s'il vous plaît ? ➜ Mais oui, **venez** !*

Les phrases impersonnelles

a - *C'est* + adjectif (l'adjectif est toujours au masculin singulier) :

La Bretagne, c'est joli. - Les vacances, c'est agréable.

b - Le *il* impersonnel (le verbe est toujours au singulier)

• Pour parler du temps :
il pleut, il fait froid, il fait chaud, il fait 30°

• Pour parler de l'heure :
il est deux heures, il est tard

• *Il y a* + nom singulier ou pluriel :
Il y a un beau film à la télé. - Il y a vingt filles dans la salle de classe.

• *Il faut* + nom / infinitif :
Pour réussir, il faut travailler. - Pour aller chez lui, il faut une voiture.

c - *On* (le verbe est toujours au singulier)

• Il peut remplacer ***nous*** (en français familier) :
Anne, Marc et moi, on va au cinéma.

• Il peut remplacer ***les gens en général*** :
En Italie, on adore les pâtes.

• Il peut remplacer ***quelqu'un*** :
Écoutez ! On a frappé à la porte.

◆ **Exercice 22** - **Répondez comme dans l'exemple.**

(leçon 14) *– Vous allez en Italie ? ➜ – Oui, bien sûr, on va en Italie*

CRÉDITS PHOTOGRAPHIQUES

8 : (BD) Image Bank/Ernoult Features/J. du Boisberranger -
8 : (HG) Image France/R. Mancini - 15 : (BD) Gamma/
A. Benainous - 15 : (BG) Gamma/F.S.P./J. Gaston - 15 (HD)
Gamma/Benainous-Duclos - 15 : (HG) Gamma/Benainous-
Duclos - 15 : (HM) Gamma - 24 : (B) Sygma/F. Trapper -
27 : (D) Hoa-Qui/C. Lenars - 27 : (G) DIAF/E. Planchard -
27 : (M) Hoa-Qui/P. Bertrand - 74 : (BD) Jerrican/Aurel -
74 : (BG) Jerrican/Rocher - 74 : (BM) Image Bank/
A. Edwards - 80 : Météo France - 99 : (D) DIAF/G. Simeone -
99 : (G) Explorer/R. Mattes - 112 : (1) Image Bank/Ernoult
Features/R. van Butsele - 112 : (2) Image Bank/G. Faint -

© clé international/VUEF 2002 - ISBN.209033547-5
N° projet : 10101972 - IV - (93) - (CSBGP 80°). Dépôt légal janvier 2003 - PAO Michel MUNIER
Imprimé en France par IFC. Saint-Germain-du-Puy 18390. N° d'imprimeur : 02/1388